## Das Buch

Heinz Ludwig Arnold, ausgewiesener Kenner und Zeitgenosse der deutschen Gegenwartsliteratur, zeigt in diesem persönlichen und meisterhaft kurzgefaßten Überblick die drei Sprünge, die die westdeutsche Literatur von 1945 bis 1990 vollzogen hat. Mit dem Ende des Dritten Reichs der erste Sprung: die »Moralisierung der Literaten«, die mit der Last der deutschen Vergangenheit umzugehen versuchten. In den sechziger Jahren dann der zweite Sprung: die »Politisierung des Literarischen«, die aktive Einmischung in den gesellschaftlichen und politischen Prozeß und die Visionen einer neuen Gesellschaft. Und der dritte Sprung in den siebziger Jahren: die »Privatisierung der Literatur«, die Flucht aus der politischen Gegenwart der konsumorientierten Wohlstandsgesellschaft in eine neue, hedonistische Innerlichkeit, die sogenannte ›Postmoderne‹.

## Der Autor

Heinz Ludwig Arnold. ░░░░░░░░░░░░░░░ ░░ründung 1963 Herausgeber de░ ░░░░░░ ░░░░░TIK«. Er gibt seit 1978 das »Kritisc░ ░░░░░ ░░░░░░eutschsprachigen Gegenwartsliteratur« (K░░ ░░░░ ░ 1983 das »Kritische Lexikon zur fremdsprachi░ ░░░░░wartsliteratur« (KLfG) heraus. Daneben zahlreiche ░░░zelveröffentlichungen. Seit 1995 Honorarprofessor an der Universität Göttingen.

Heinz Ludwig Arnold:
Die westdeutsche Literatur
1945 bis 1990

Ein kritischer Überblick

Deutscher
Taschenbuch
Verlag

Von Heinz Ludwig Arnold im
Deutschen Taschenbuch Verlag
herausgegeben:
Die deutsche Literatur 1945 – 1960
(4 Bände, 12081 – 12084)

Überarbeitete Ausgabe
September 1995
Deutscher Taschenbuch Verlag GmbH & Co. KG, München
© 1993 Wallstein Verlag, Göttingen,
unter dem Titel:
»Die drei Sprünge der westdeutschen Literatur. Eine Erinnerung«
ISBN 3-89244-062-x
Umschlaggestaltung: Klaus Meyer, Costanza Puglisi
Die Fotos zeigen von links nach rechts:
Ilse Aichinger, Hans Werner Richter, Walter Jens 1952;
Rudi Dutschke, Peter Schneider, Reinhard Lettau u. a. 1967;
Botho Strauß (© R. Walz)
Satz: Wallstein Verlag, Göttingen
Druck und Bindung: C. H. Beck'sche Buchdruckerei, Nördlingen
Printed in Germany · ISBN 3-423-30485-5

# Inhalt

*Für Renate und Berndt Oesterhelt*

# Vorbemerkung

Dieses Buch erschien 1993 unter dem Titel »Die drei Sprünge der westdeutschen Literatur. Eine Erinnerung«. Für diese Ausgabe habe ich es bearbeitet. Das Buch trägt nun einen neutraleren Titel. Dennoch soll man es nicht verwechseln mit einer Literaturgeschichte, die jeden halbwegs wichtigen Namen der beschriebenen Literatur wenigstens erwähnt und per Register vorspiegelt, das Gesamtbild einer literarischen Entwicklung zu präsentieren. Ich wollte solche Illusion auch gar nicht erst wecken; deshalb fehlte in der ersten Ausgabe ein Namenregister. Dieser ›Mangel‹ aber wurde kritisch notiert, weshalb dieses Buch nun ein Register enthält. Es sollte aber nicht dazu verleiten, diesen Versuch zum eiligen Nachschlagen von Namen zu mißbrauchen; denn dazu ist er nicht geeignet. Er ist jedenfalls kurz genug, um im Zusammenhang gelesen zu werden. Dann, glaube ich, wird sich dem Leser auch plausibel erschließen, warum es eines Registers eigentlich nicht bedarf; und daß dies ein an meiner eigenen Lese-Erfahrung entlang geschriebener Versuch ist, mich meiner literarischen Sozialisation zu erinnern. Aber dies gilt hoffentlich nicht nur für den 1940 Geborenen. Ich wünsche mir vielmehr, gerade jüngeren Lesern einen ferngerückten literarischen Prozeß nahezubringen, der es verdient, erinnert zu werden.

»Man war in Gesellschaft«

*Robert Creeley*

»Die Kardinalsünde des 20. Jahrhunderts ist der Verlust des Gefühls dafür, *daß es Dinge gibt, die man einfach nicht tut.* Diesem Mangel sind Millionen von Menschen überall auf der Welt zum Opfer gefallen.«

*Peter Buchka*

# I   Die Last der Vergangenheit
oder *Die Moralisierung der Literaten*

I.

Als Thomas Mann nach seiner Emigration aus dem national-sozialistischen Deutschland sagte: »Wo ich bin, ist die deutsche Kultur«, mochte er sich noch als Repräsentant einer bürgerlichen Gesellschaft verstanden haben. Die aber hatte sich bereits in der Weimarer Republik weitgehend aufgelöst, und was davon noch, auch an moralischer Substanz, übrig geblieben war, hatten die Nazis schließlich ganz erledigt. So daß Thomas Manns Selbsteinschätzung, mit all ihrer denkbaren Ironie, wohl nur ein Votum für ein anderes, besseres Deutschland und gegen die antizivilisatorische Barbarei der Nazis war.

Ein Satz wie dieser von Thomas Mann ist für die Zeit nach 1945 weder auf einen einzelnen Schriftsteller noch auf eine literarische Richtung oder Gruppierung anwendbar: Nicht wo Heinrich Böll war, der eine solche Übertragung ausdrücklich ablehnte, oder Günter Grass, der dafür empfänglich sein mag, ist *die deutsche Kultur;* und nicht einmal die »Gruppe 47« hat als solche die deutsche Kultur, oder auch nur Literatur, repräsentiert. Die »Gruppe 47« gewann eine gewisse – oppositionelle – Repräsentanz allein in dem Sinne, daß sie, bis zum Beginn der sechziger Jahre, ein Forum demokratisch aufgeklärter Gegenkultur innerhalb einer autoritär geleiteten, erst langsam mündig werdenden Gesellschaft der Bundesrepublik Deutschland war.

Bezeichnenderweise ist die »Gruppe 47« aus programmatischen Impulsen der Zeitschrift »Der Ruf. Unabhängige Blätter der jungen Generation« entstanden – begründet von

Intellektuellen, die ihre Lage gern als Situation an einem *Nullpunkt* imaginierten: denn sie wollten den unbedingten politischen und gesellschaftlichen und deshalb auch sprachlichen und literarischen Neubeginn. Dieser Neubeginn sollte gerade deshalb so unbedingt sein, weil diese jungen deutschen Schriftsteller sich, anders als die meisten Deutschen, bewußt als verantwortliche ›Erben‹ der deutschen Verbrechen des »Dritten Reichs« begriffen, denen auch Literatur schönschreibend gedient oder zumindest kaum widersprochen hatte.

Wolfdietrich Schnurre, der von Anfang an zur »Gruppe 47« gehörte, hat diesen moralischen Impuls 1947 im »Ruf« so umschrieben: »Wir, die wir glauben, einmal zu Kündern des Kommenden und zu Deutern des Bleibenden berufen zu sein, wir haben, wie niemand sonst, die Verpflichtung, die geschlagene Wunde nicht verharschen zu lassen. Mag die Hände vors Antlitz heben, wenn wir unsere Gesichte beschwören, wer will. Wir können den Zusammenbruch einer Scheinwelt nicht überlebt haben, nur, um auf ihren Trümmern eine neue Welt des Scheins zu errichten. Und daher hat auch nur der heute ein Recht zu schreiben und vor die Öffentlichkeit zu treten, der, was er sagt, aus dem Wissen geschöpft hat, das die jüngste Vergangenheit ihm aufbürdete.«

Mit diesem pathetischen Bekenntnis, das gegen jede Art von Totalitarismus und gegen jede Ideologie gerichtet war, haben sich die meisten Schriftsteller der »Gruppe 47« über Jahre hin gleichsam selbstverständlich identifiziert: Und so wirkten sie mit Blick auf diese grundlegende politisch-literarische Voraussetzung als Gruppe einigermaßen homogen – und wurden seit der zweiten Hälfte der fünfziger Jahre auch als repräsentativ für die nonkonformistische junge deutsche Literatur wahrgenommen –, obgleich sich die Schreibweisen ihrer Literatur immer mehr differenziert hatten.

Dieser Prozeß, in dem sich in der Bundesrepublik eine neue deutsche Literatur entwickeln und auf einen Höhepunkt gelangen konnte, der ihr auch wieder Weltgeltung verschaffte, dauerte bis zum Beginn der sechziger Jahre. Zunächst wurde die junge deutsche Literatur freilich nur sporadisch vernommen inmitten der vielen alten, der auch fragwürdig gewordenen Stimmen – die sie dann allerdings immer mehr überlagerte und schließlich ganz verdrängte.

2.

Für die junge westdeutsche Literatur gab es in den fünfziger Jahren keinen traditionsbildenden Brückenschlag zu der im nationalsozialistischen Deutschland verbliebenen Literatur, und auch die Anknüpfung an die exilierte deutsche Literatur konnte nicht gelingen; sie gelang auch später nur in Teilen.

Ganz anders in der DDR: Dort wurden die sozialistischen Schriftsteller des Exils als Begründer einer neuen sozialistischen (DDR-)Nationalliteratur institutionalisiert, ja selbst bürgerliche Autoren wie Heinrich und Thomas Mann oder Alfred Döblin wurden rezipiert, solange sie ins parteiliche Programm paßten. Die Avantgarde der bürgerlichen Literatur aber, so Hermann Broch und Robert Musil, blieb unbeachtet oder wurde gar als dekadent und kosmopolitisch denunziert. Auch Franz Kafka.

Der einzige deutsche Lyriker, der, schon in den zwanziger Jahren berühmt, während des »Dritten Reichs« in Deutschland geblieben war und nach 1945 erneut zu Ruhm kam, war Gottfried Benn. Konstant folgte er seiner Vorstellung von autonomer und monologischer Kunst, vom *absoluten Gedicht*, das er 1951 in »Probleme der Lyrik« als »das Gedicht ohne Glauben, das Gedicht ohne Hoffnung, das Gedicht an niemanden gerichtet« bestimmte.

Gottfried Benns theoretische Äußerungen, nicht nur zu ästhetischen Positionen, plädierten für Geschichtsferne und implizierten Wirklichkeitsflucht: für eine Kunst nicht als Spiegelung von Wirklichkeit, sondern als Absolutum, als von ihr abgelöstes Phänomen, als autonomer Schein über und außerhalb ihrer Geschichtlichkeit. Benn formulierte damit wesentliche ästhetische Ansätze und gab zahlreiche Beispiele für eine *Poesie der Moderne*.

Er hatte das »Dritte Reich« anfangs gegen die Emigranten verteidigt, wurde aber bald, als Lyriker der von den Nazis so genannten *entarteten* Kunst des Expressionismus, in der SS-Zeitschrift »Das Schwarze Korps« massiv angegriffen. Er zog sich dann bereits 1934 in die, wie er es nannte, »aristokratische Form der Emigrierung« zurück und ging als Stabsarzt zur Deutschen Wehrmacht. Auch er arbeitete sich nach dem Ende des Krieges, auf seine unverwechselbare Weise, an der Vergangenheit ab – zum Beispiel in Prosatexten wie »Doppelleben« und in dem lyrischen Zyklus »Epilog« von 1949:

> I
> Die trunkenen Fluten fallen –
> die Stunde des sterbenden Blau
> und der erblaßten Korallen
> um die Insel von Palau.
>
> Die trunkenen Fluten enden
> als Fremdes, nicht dein, nicht mein,
> sie lassen dir nichts in Händen
> als der Bilder schweigendes Sein.
>
> Die Fluten, die Flammen, die Fragen –
> und dann auf Asche sehn:
> »Leben ist Brückenschlagen
> über Ströme, die vergehn.«
>
> II
> Ein breiter Graben aus Schweigen,
> eine hohe Mauer aus Nacht
> zieht um die Stuben, die Steigen,
> wo du gewohnt, gewacht.

In Vor- und Nachgefühlen
hält noch die Strophe sich:
»Auf welchen schwarzen Stühlen
woben die Parzen dich,

aus wo gefüllten Krügen
erströmst du und verrinnst
auf den verzehrten Zügen
ein altes Traumgespinst.«

Bis sich die Reime schließen,
die sich der Vers erfand,
und Stein und Graben fließen
in das weite, graue Land.


III
Ein Grab am Fjord, ein Kreuz am goldenen Tore,
ein Stein im Wald und zwei an einem See –:
ein ganzes Lied, ein Ruf im Chore:
»Die Himmel wechseln ihre Sterne – geh!«

Das du dir trugst, dies Bild, halb Wahn, halb Wende,
das trägt sich selbst, du mußt nicht bange sein
und Schmetterlinge, März bis Sommerende,
das wird noch lange sein.

Und sinkt der letzte Falter in die Tiefe,
die letzte Neige und das letzte Weh,
bleibt doch der große Chor, der weiterriefe:
die Himmel wechseln ihre Sterne – geh.


IV
Es ist ein Garten, den ich manchmal sehe
östlich der Oder, wo die Ebenen weit,
ein Graben, eine Brücke und ich stehe
an Fliederbüschen, blau und rauschbereit.

Es ist ein Knabe, dem ich manchmal trauere,
der sich am See in Schilf und Wogen ließ,
noch strömte nicht der Fluß, vor dem ich schauere,
der erst wie Glück und dann Vergessen hieß.

Es ist ein Spruch, dem oftmals ich gesonnen,
der alles sagt, da er dir nichts verheißt –
ich habe ihn auch in dies Buch versponnen,
er stand auf einem Grab: »tu sais« – du weißt.

V
Die vielen Dinge, die du tief versiegelt
durch deine Tage trägst in dir allein,
die du auch im Gespräche nie entriegelt,
in keinen Brief und Blick sie ließest ein,

die schweigenden, die guten und die bösen,
die so erlittenen, darin du gehst,
die kannst du erst in jener Sphäre lösen,
in der du stirbst und endend auferstehst.

Benns spezifischer *sound* verlockte zur Nachahmung: eine
berauschende Mischung aus Sprach-Schwingungen und
-Klängen, Assonanzen, exotischen Reizwörtern und Reim,
eine früh moderne, im Expressionismus geschulte, über sein
Pathos hinausgewachsene und enorm wirkungsvolle Weise
lyrischen Sprechens. Benns Lyrik machte in den fünfziger
Jahren eine Generation von Pubertierenden zu Lyrikern.

3.

Radikal neue Töne von vergleichbar intensiver lyrischer
Sensibilität und Kraft, aber einer ganz anderen Poetologie
folgend, kamen von zwei jüdischen Dichtern: Nelly Sachs

und Paul Celan. Ihr gesamtes Werk war Mahnung und Erinnerung, einsame und beharrliche Bewahrung dessen, was die allermeisten der nach 1945 publizierten traditionellen Texte vergessen wollten und verdrängten: die Vernichtung der Juden durch die Deutschen.

Nelly Sachs' freie lyrische Formen nennen beschwörend das Unaussprechliche, Unvergleichbare, den organisierten Völkermord, ihre Gedichte sind gespeist von jüdischer Mystik und von den sehr konkreten Bildern wirklich erlebten und erlittenen Grauens, sie heben die Erinnerung an die Ermordeten häufig in Formen auf, die an Gebete gemahnen – zum Beispiel im Gedicht »In den Wohnungen des Todes« aus dem gleichnamigen Gedichtband von 1947, das mit einem Motto aus Hiob beginnt:

> »Und wenn diese meine Haut zerschlagen sein wird,
> so werde ich ohne mein Fleisch Gott schauen«

O die Schornsteine
Auf den sinnreich erdachten Wohnungen des Todes,
Als Israels Leib zog aufgelöst in Rauch
Durch die Luft –
Als Essenkehrer ihn ein Stern empfing
Der schwarz wurde
Oder war es ein Sonnenstrahl?

O die Schornsteine!
Freiheitswege für Jeremias und Hiobs Staub –
Wer erdachte euch und baute Stein auf Stein
Den Weg für Flüchtlinge aus Rauch?

O die Wohnungen des Todes,
Einladend hergerichtet
Für den Wirt des Hauses, der sonst Gast war –
O ihr Finger,

Die Eingangsschwelle legend
Wie ein Messer zwischen Leben und Tod –

O ihr Schornsteine,
O ihr Finger,
Und Israels Leib im Rauch durch die Luft!

Paul Celans Gedicht »Todesfuge«, das schon 1948 entstanden ist und ursprünglich »Todestango« hieß, arbeitet mit den klassisch modernen Mitteln von Verschränkung und Wiederholung und Variation der Motive und Bilder. Es wurde Celans berühmtestes Gedicht, steht in jedem Lesebuch und wird immer noch bei vielen Gedenkstunden rezitiert – Celan empfand bereits Anfang der sechziger Jahre diese Vernutzung seines Texts als seinen Intentionen so zuwider, daß er es einer solchen Verwendung am liebsten entzogen hätte.

1958, in seiner Rede zum Bremer Literaturpreis, sagte er über sein Verhältnis zur deutschen Sprache: »Erreichbar, nah und unverloren blieb inmitten der Verluste dies eine: die Sprache.

Sie, die Sprache, blieb unverloren, ja, trotz allem. Aber sie mußte nun hindurchgehen durch ihre eigenen Antwortlosigkeiten, hindurchgehen durch furchtbares Verstummen, hindurchgehen durch die tausend Finsternisse todbringender Rede. Sie ging hindurch und gab keine Worte her für das, was geschah; aber sie ging durch dieses Geschehen. Ging hindurch und durfte wieder zutage treten, ›angereichert‹ von all dem.«

Es klingt noch heute wie eine Antwort auf den damals schon verstorbenen, aber mit seinen ästhetischen Postulaten und seiner Lyrik noch sehr lebendigen Benn, wenn Celan, anders als dieser, das Gedicht als zeit- und wirklichkeitsbezogen und vor allem ausgerichtet auf einen Partner im Dialog bestimmte: »Denn das Gedicht ist nicht zeitlos. Gewiß, es erhebt einen Unendlichkeitsanspruch, es sucht, durch die Zeit hindurchzugreifen – durch sie hindurch, nicht über sie hinweg.

Das Gedicht kann, da es ja eine Erscheinungsform der Sprache und damit seinem Wesen nach dialogisch ist, eine Flaschenpost sein, aufgegeben in dem – gewiß nicht immer hoffnungsstarken – Glauben, sie könnte irgendwo und irgendwann an Land gespült werden, an Herzland vielleicht. Gedichte sind auch in dieser Weise unterwegs: sie halten auf etwas zu.

Worauf? Auf etwas Offenstehendes, Besetzbares, auf ein ansprechbares Du vielleicht, auf eine ansprechbare Wirklichkeit.

Um solche Wirklichkeiten geht es, so denke ich, dem Gedicht.«

Die Gedichte von Nelly Sachs und Paul Celan waren damals freilich noch nicht vielen Lesern bekannt, wurden eher an entlegenen Orten publiziert. Aber auch die »Gruppe 47«, bei der immerhin schon Ilse Aichinger und Ingeborg Bachmann mit komplexen modernen Texten reüssiert hatten, nahm Paul Celans Gedichte, die er 1952 auf ihrer Tagung in Niendorf las, eher mit Unverständnis auf. Eines der dort gelesenen Gedichte war:

Zähle die Mandeln,
zähle, was bitter war und dich wachhielt,
zähl mich dazu:

Ich suchte dein Aug, als du's aufschlugst und niemand
dich ansah,
ich spann jenen heimlichen Faden,
an dem der Tau, den du dachtest,
hinunterglitt zu den Krügen,
die ein Spruch, der zu niemandes Herz fand, behütet.

Dort erst tratest du ganz in den Namen, der dein ist,
schrittest du sicheren Fußes zu dir,
schwangen die Hämmer frei im Glockenstuhl deines
Schweigens,

stieß das Erlauschte zu dir,
legte das Tote den Arm auch um dich,
und ihr ginget selbdritt durch den Abend.

Mache mich bitter.
Zähle mich zu den Mandeln.

Celans eindringliches lyrisches Sprechen, ja Beschwören
hat die »Gruppe 47« damals nicht als Qualität erkannt, oder
sie hat damals damit (noch) nichts anfangen können. Zu
ihrer auf Realismus gestimmten Verfassung paßte nicht
das sensitive Pathos des Celanschen Gedicht-Vortrags, dem
nach geradeaus orientierter Konkretheit sich sehnenden
und an die rauhen Landser-Töne gewöhnten Freundeskreis war der sensible Mann zu fremd. Paul Celan kam,
trotz späterer Einladungen Hans Werner Richters, nicht
wieder.

4.

Die meisten Schriftsteller, die nach 1945 die vielen neuen
Zeitschriften und Verlagsprogramme füllten, haben bereits
vor und während des »Dritten Reichs« publiziert: Neben
Gottfried Benn zählen unter den älteren dazu Werner
Bergengruen, Georg Britting, Ina Seidel, Rudolf Alexander
Schröder, Friedrich Georg Jünger, Reinhold Schneider; und
Günter Eich, Peter Huchel, Karl Krolow und Rudolf Hagel-
stange unter den jüngeren Lyrikern. Noch bis weit in die
fünfziger Jahre hinein dominierten traditionelle Formen und
naturlyrische Töne viele Gedichtsammlungen.

Auch die Auseinandersetzung mit dem »Dritten Reich«
wurde vorerst geführt mit traditionalistischen Entwürfen.
Zwar thematisierten auch sie Verbrechen, Lüge, Verrat, Leid
und Opfer; aber mit ihrer auf die allgemeine ›Katastrophe‹

bezogenen kritischen Haltung entlasteten sich die meisten traditionellen Schriftsteller von der notwendigen selbstkritischen Revision ihres Geschichtsverständnisses und einer daraus zu folgernden Überwindung ihres eigenen eingestanzten Sprachgebrauchs, der die alte Trennung zwischen Wirklichkeit und Kunstraum konservierte und der bösen Welt die läuternde Idealität des Gedichts – also die Idealität der angeblich unberührt gebliebenen, weil unberührbaren Reinheit der *Kunst* – entgegensetzte.

In solcher Dichtung erscheint eben die schlimme, die schlechte Wirklichkeit als *Verhängnis,* als Natur-*Katastrophe,* als unveränderliches Faktum und hinzunehmendes Fatum, demgegenüber, wie Bergengruen 1947 in seiner Rede »Am Anfang war das Wort« sagte, »Wort und Geist in ihre alte Würde« zu »bringen« seien, um sie vor der verhängnisvollen Welt zu bewahren – eine apologetische Haltung, die leugnet, daß Dichtung auch Teil der Wirklichkeit des gerade überstandenen »Dritten Reichs« gewesen war und dessen kulturellen Schein mit ausstaffiert hatte.

In solcher Tradition steht, mit seiner durchgehenden Konfrontation von Masse und Betriebsamkeit als Wirklichkeit auf der einen und geistiger Einsamkeit als wahrer Freiheit auf der anderen Seite, auch Rudolf Hagelstanges »Venezianisches Credo«, das 1945 erstmals in einem Privatdruck und 1946 im Buchhandel erschien, wo es binnen weniger Jahre eine Auflage von über fünfzigtausend Exemplaren erreichte:

> Wir wissen nicht mehr, Ja und Nein zu sagen,
> weil wir des Zieles nicht mehr sicher sind.
> Und wenn wirs sagen, sind wir wie ein Kind,
> das nur gelernt hat, auf der Großen Fragen
>
> willkommene Antwort reden, ohne zu verstehen,
> was es denn sagt und wem es damit dient.
> Und wenn Ihr Widerspruch zu üben schient,
> so wars nicht, ohne hinter Euch zu sehen,

wo einer flüsterte. Denn, ach, allein
seid Ihr gelähmt bis in das Mark der Seele
und wartet voller Inbrunst auf Befehle,

um, wie Ihr wähnt, geschirmt und stark zu sein.
Der Markt war Euer Platz, das Glück die Menge.
Die Freiheit aber darbte in der Enge.

In derart weihevoller *Kalligraphie* – so ein kritisches Schlagwort des »Ruf«-Autors Gustav René Hocke – war von der
eingangs zitierten Programmatik Wolfdietrich Schnurres
nichts zu finden.

Dagegen sind *Rettung des Geistes, des Worts, der Dichtung,*
ichbezogene *Einkehr* und *demutsvolle Haltung, Einsamkeit in
Freiheit* und *christliches Schuldbekenntnis* jene traditionellen
Denk- und Deutungsmuster, mit denen Autoren, die sich
am »Dritten Reich« mehr oder weniger beteiligt hatten, auch
nach 1945 ihre wirklichkeitsferne, weltabgewandte metaphy-
sische Lyrik ausstatteten und ihre apologetische Vergangenheitsbewältigung betrieben.

5.

Die neue Sprechweise in der Lyrik zeichnete sich durch entschiedene Hinwendung zur Realität aus, sie reflektierte die
Erfahrungen im Umgang mit der veränderten Welt und mit
einer veränderten Bewußtheit von ihr. Die neue Lyrik signalisierte diese Veränderungen auch durch formale Brechungen
und die Auflösung althergebrachter Formen, durch sprachliche Radikalität – durch eine neue Sprache, wie sie in Stephan Hermlins »Ballade von den alten und neuen Worten«
(erstmals 1945 in der Schweiz gedruckt) zwar gefordert, aber
noch nicht gestaltet wird:

Ich weiß, daß sie nicht mehr genügen,
Weil die Erde mich noch trägt,
Weil die alten Worte lügen,
Weil der Unschuld die Stunde schlägt,
Ich weiß, daß sie nicht mehr genügen.

Genügen können nicht mehr die Worte,
Die mir eine Nacht verrät,
Die beflügelte Magierkohorte,
Wie vom Rauch der Dämonen umdreht,
Genügen können nicht mehr die Worte.

Daß an meinen Worten ich leide!
Und die Worte waren schön …
Meine Worte waren wie beide,
Tag und Nacht, wenn sie beide vergehn.
Daß an meinen Worten ich leide!

Drum gebt mir eine neue Sprache!
Ich geb euch die meine her.
Sie sei Gewitter, Verheißung, Rache,
Wie ein Fluß, ein Pflug, ein Gewehr.
Drum gebt mir eine neue Sprache!

(…)

Günter Eich vollzog in einigen Gedichten jenen Traditions-
bruch, den Hermlin nur benannt hat. Eichs Gedicht »Inventur« wird noch heute als Muster dieser neuen lyrischen
Sprechweise in allen Lesebüchern zitiert. Auch in seinem
1946 erstmals im »Ruf« veröffentlichten Gedicht »Latrine«,
das sich der Dichtung Hölderlins als einer mißbrauchten
Dichtung erinnert, artikulierte er den notwendigen Bruch
der literarischen und damit im weiteren Sinn kulturellen
Konvention und beharrte zugleich auf einem betont lyrischen, den typischen Benn-*sound* zitierenden, jedoch welt-
zugewandten und drastisch verstärkten Sprechen. In ihm

wird der literarische Kanon keineswegs vernichtet, sondern in neue Relationen gestellt:

> Über stinkendem Graben,
> Papier voll Blut und Urin,
> umschwirrt von funkelnden Fliegen,
> hocke ich in den Knien,
>
> den Blick auf bewaldete Ufer,
> Gärten, gestrandetes Boot.
> In den Schlamm der Verwesung
> klatscht der versteinte Kot.
>
> Irr mir im Ohre schallen
> Verse von Hölderlin.
> In schneeiger Reinheit spiegeln
> Wolken sich im Urin.
>
> »Geh aber nun und grüße
> die schöne Garonne – «
> Unter den schwankenden Füßen
> schwimmen die Wolken davon.

Günter Eich hat nur wenige Gedichte wie »Inventur« und »Latrine« geschrieben: als deutliche Signale für eine veränderte Bewußtheit von der veränderten Welt. Die meisten seiner in den vierziger und fünfziger Jahren entstandenen Gedichte sind Naturgedichte – von anderer Art freilich als jene Naturlyrik, die als einzige lyrische Sprechweise das »Dritte Reich« überdauerte, weil sie ja unmittelbar nicht angefochten werden konnte. Doch diese Lyrik war, weil scheinbar naturnah, meist weltfern, ein imaginierter Fluchtort aus einer bedrückenden Wirklichkeit, deren Bedrückung gleichwohl als notwendig hingenommen, ja angenommen wurde. Diese Lyrik wurde sogar, wie von Albrecht Goes noch 1946, in Gegensatz zur einst abfällig so genannten und zu großen Teilen 1933 von den Nazis und ihren Adepten verbrannten »Asphaltliteratur« gebracht, als deren positiver Antipode: »Der Geist der Städte ist hurtig und kalt, der Geist der Gärten ist milde und geduldig, wir brauchen die Milde und die Geduld.«

Fern der abstoßenden Wirklichkeit feierte das Naturgedicht Schönheit und benannte eine scheinbare, scheinhafte Unschuld – Wilhelm Lehmann, Peter Huchel und Karl Krolow gaben hier frühe Beispiele. In seinem Gedicht »Die Häherfeder« aber führt Günter Eich vor, wie das moderne Gedicht Elemente der Natur nutzen und zugleich Natur als Fluchtort und Sinngeber menschlicher Existenz fragwürdig machen kann:

> Ich bin, wo der Eichelhäher
> zwischen den Zweigen streicht,
> einem Geheimnis näher,
> das nicht ins Bewußtsein reicht.
>
> Es preßt mir Herz und Lunge,
> nimmt jäh mir den Atem fort,
> es liegt mir auf der Zunge,
> doch gibt es dafür kein Wort.
>
> Ich weiß nicht, welches der Dinge
> oder ob es der Wind enthält.
> Das Rauschen der Vogelschwinge,
> begreift es den Sinn der Welt?
>
> Der Häher warf seine blaue
> Feder in den Sand.
> Sie liegt wie eine schlaue
> Antwort in meiner Hand.

Paul Celan, Nelly Sachs, ganz anders Gottfried Benn und in Ansätzen Günter Eich schrieben Gedichte jenseits der damals herrschenden Konvention, und doch nahmen sie nur moderne Formen des lyrischen Sprechens wieder auf, die es schon einmal gegeben hatte: in der frühen Moderne des

19. Jahrhunderts in Frankreich und zu Anfang des 20. Jahrhunderts in Deutschland. Zum zweiten Mal seit Beginn des Jahrhunderts mußte sich die deutsche Literatur auf den Weg machen, um wieder Anschluß an die Moderne zu gewinnen.

Dies war nun nach der Vernichtung der europäischen Juden durch das nationalsozialistische Deutschland nicht mehr bloß eine Frage der Ästhetik. Am schärfsten bezeichnete Theodor W. Adorno den Zivilisationsbruch, den der Holocaust im Bewußtsein der Menschen verursacht hatte. Er machte deutlich, daß Dichtung nach Auschwitz einerseits des Völkermords eingedenk sein müsse, andererseits aber ihre Mittel niemals hinreichten, das Ausmaß des Geschehenen angemessen auszudrücken. Diese Aporie formulierte er in der so oft zitierten wie mißdeuteten Passage seines Essays »Kulturkritik und Gesellschaft«: »Je totaler die Gesellschaft, um so verdinglichter auch der Geist und um so paradoxer sein Beginnen, der Verdinglichung aus eigenem sich zu entwinden. Noch das äußerste Bewußtsein vom Verhängnis droht zum Geschwätz zu entarten. Kulturkritik findet sich der letzten Stufe der Dialektik von Kultur und Barbarei gegenüber: nach Auschwitz ein Gedicht zu schreiben, ist barbarisch, und das frißt auch die Erkenntnis an, die ausspricht, warum es unmöglich ward, heute Gedichte zu schreiben. Der absoluten Verdinglichung, die den Fortschritt des Geistes als eines ihrer Elemente voraussetzte und die ihn heute gänzlich aufzusaugen sich anschickt, ist der kritische Geist nicht gewachsen, solange er bei sich bleibt in selbstgenügsamer Kontemplation.«

6.

Zwölf Jahre nationalsozialistische Terrorherrschaft, davon fünf Jahre Krieg, hatten aber noch andere Zäsuren gesetzt. Die wichtigsten deutschen Schriftsteller waren 1933 aus dem

Lande vertrieben worden, darunter die großen Romanciers: die Brüder Heinrich und Thomas Mann, Alfred Döblin, Arnold und Stefan Zweig, Hermann Broch, Anna Seghers, Hermann Kesten, Oskar Maria Graf … Für viele von ihnen dauerte es Jahrzehnte, bis sie, wenigstens mit ihren Werken, wieder heimkehrten in die Literatur ihrer Sprache und in ihr Land, das 1949 geteilt wurde in Bundesrepublik Deutschland und Deutsche Demokratische Republik.

Was für die Lyrik der vierziger und fünfziger Jahre gilt, trifft *cum grano salis* auch zu für die Erzählliteratur: Die traditionellen Formen und Themen überwogen; auch bargen die vielberedeten Schubladen der in Deutschland gebliebenen Schriftsteller wenig, und schon gar nichts Sensationelles – es gab kein geheimes Fortwirken der in den zwanziger Jahren erreichten literarischen Bewußtheit. Die Nazis in ihrem Haß auf jegliche Moderne hatten *tabula rasa* gemacht, die Literatur im »Dritten Reich« war zurückgefallen in tiefste Provinzialität, hatte mit der Macht kollaboriert oder sich in den selteneren Fällen abgesetzt in unverbindliche Historien- oder Mythenmalerei; Romane wie Werner Bergengruens »Der Großtyrann und das Gericht« (1935) oder Reinhold Schneiders »Las Casas vor Karl V.« (1938) und Ernst Jüngers Erzählung »Auf den Marmorklippen« (1939) waren seltene Ausnahmen – aber auch das waren Bücher, die sprachlich und formal traditionellen Erzählmustern folgten.

Es waren jene Roman-Formen, mit denen auch die Literatur in den ersten zehn Jahren nach Kriegsende wie selbstverständlich umging. Die Neuorientierung der Erzählliteratur begann nicht mit ästhetischen oder formalen Innovationen, sondern inhaltlich mit Aufarbeitungen der Vergangenheit: Theodor Plieviers »Stalingrad« (1945), Erich Maria Remarques »Arc de Triomphe« (1946), Walter Kolbenhoffs »Von unserm Fleisch und Blut« (1947), Hans Werner Richters »Die Geschlagenen« (1949) und Gert Ledigs »Stalinorgel« (1955) – einige der wichtigsten frühen Romane, die mit Krieg und Nazi-Herrschaft abrechneten – folgen allesamt traditionellen Realismuskonzepten. Drei andere, damals viel gelesene Romane – Hermann Hesses »Glasperlenspiel« (1943), Elisabeth Langgässers »Das unauslöschliche Siegel« (1946) und Hermann Kasacks »Die Stadt hinter dem Strom« (1947) – unternehmen mythische und mystifizierende Deutungen der Zeitsituation und arbeiten mit utopischen Elementen; sie bleiben aber dennoch traditionell in Sprache und Form, Kasack etwa in deutlich epigonaler Nachfolge Franz Kafkas und Alfred Kubins. Die Moderne hat das »Dritte Reich« nicht überlebt, und auch die Literatur hat in keiner der wenigen Nischen an deren Projekt fortgewirkt: Es hatte nur Rückschritt oder Stillstand gegeben.

7.

Als am 8. Mai 1945 das »Dritte Reich« kapituliert hatte, »traf ich«, so erzählte mir einmal Wolfgang Koeppen, »nur Leute, die dagegen gewesen waren«. Es begann die große Verdrängung. Auch viele Schriftsteller, die 1933 nicht ins Exil gezwungen worden waren, hatten daran teil. Einige von ihnen setzten gegen das äußere Exil ihre – von ihnen selbst und anderen behauptete – *innere Emigration,* eine Art Apologie ihrer Mitläufer-Rolle, wie sie Walter von Molo und Frank Thiess gegen den Emigranten Thomas Mann ins Spiel zu bringen wagten. Manche von ihnen, wie all jene, die den Nationalsozialismus gestützt und ihm zugestimmt hatten, durften nach 1945 ein paar Jahre lang nicht publizieren.

Aber was war mit den sogenannten *inneren Emigranten?* Hatten sie denn damals auch *nach innen* geschrieben?

Man hätte erwarten dürfen, daß sie, die ja angeblich gegen die Machthaber des »Dritten Reichs« und ihre Verbrechen gewesen waren, Schriftsteller zumal, Not, Leid und Verbrechen unter dem Nationalsozialismus wenigstens aufgeschrieben und dokumentiert hätten – für sich und für die Zeit danach. Doch die insgeheime Opposition der allermeisten Schriftsteller, die im »Dritten Reich« geblieben waren, erwies sich häufig als Flucht vor der historischen Verantwortung. Die Schubladen waren meist leer: Es gab kaum Aufzeichnungen wie Reinhold Schneiders »Verschütteter Tag« (1954), oder Tagebücher wie »Unter dem Schatten deiner Flügel« (1956) von Jochen Kleppper, der Ende 1942 mit seiner jüdischen Frau und Tochter aus dem Leben geschieden war; bereits 1949 erschienen Ernst Jüngers »Strahlungen«.

Der Schriftsteller Ernst Jünger wurde, wie übrigens auch Gottfried Benn, bis 1949 mit einem Publikationsverbot belegt; Jünger hatte sich geweigert, den Entnazifizierungs-Fragebogen der Alliierten zu beantworten. Zwar rechneten ihn konservative Kritiker der *inneren Emigration* zu, doch Jünger selbst hat sich nie als ihr zugehörig begriffen; im Gegenteil, er hat solchen Zuweisungen stets heftig widersprochen. Jünger war und blieb Einzelgänger; ein konservativer Ästhet, über den Hitler, weil er seine Kriegsbücher schätzte, schützend seine Hand gehalten hatte, während Goebbels, der gescheiterte Schriftsteller der zwanziger Jahre, für den Jünger nur Spott übrig gehabt hatte, am liebsten seinen Kopf hätte rollen sehen.

Jünger ist schon immer ein Tagebuchschreiber par excellence gewesen – die frühen Kriegsbücher, »In Stahlgewittern« (1920), die ihn berühmt und für viele auch berüchtigt machten, gehen auf Tagebücher zurück. Noch im »Dritten Reich«, 1942, publizierte er »Gärten und Straßen«, Tagebücher vom Kriegsausbruch und vom Einmarsch in Frankreich, den Jünger als Hauptmann mitmachte: »So hört man, im oft dämonischen Konzert der Stürme, den Ruf des Vaterlandes und kann nicht fehlen, wenn man ihm gehorcht.« (Notat vom 26.9.1939) In Paris arbeitete Jünger im Stab des Oberbefehlshabers, verkehrte mit französischen Künstlern und Schriftstellern, entwarf für die Zeit nach dem Krieg eine »Friedensschrift« – und verstand sich vor allem als Beobachter, manchmal bis zur Kälte unbeteiligt, als ein, wie er immer wieder betonte, *Seismograph* seiner Zeit.

1949, als das Publikationsverbot gegen ihn aufgehoben wurde, erschien Jüngers umfangreiches Tagebuch »Strahlungen« – eines der wenigen, und außergewöhnlichen, Zeugnisse aus dieser Zeit. Darin diese Notiz:

»Paris, 21. April 1943
Mittags Besuch von einem alten Niedersachsen, Oberst Schaer. Lagebesprechung. Kein Ölzweig noch. Unter den Dingen, die er erzählte, war besonders die Schilderung einer Erschießung von Juden schauerlich. Er hat sie von einem anderen Oberst, ich glaube Tippelskirch, den seine Armee dorthin schickte, um zu sehen, was gespielt wurde.

Bei solchen Mitteilungen erfaßt mich Entsetzen, ergreift mich die Ahnung einer ungeheuren Gefahr. Ich meine das ganz allgemein und würde mich nicht wundern, wenn der Erdball in Stücke flöge, sei es durch Aufschlag eines Kometen, sei es durch Explosion. In der Tat habe ich das Gefühl, daß diese Menschen den Erdball anbohren, und daß sie die Juden dabei als kapitalstes Opfer wählen, kann kein Zufall sein. Es gibt bei ihren höchsten Henkern eine Art von unheimlicher Hellsichtigkeit, die nicht auf Intelligenz, sondern auf dämonischen Antrieben beruht. An jedem Kreuzweg werden sie die Richtung finden, die zu größerer Zerstörung führt.

Übrigens sollen diese Erschießungen nicht mehr stattfinden, da man zur Vergasung der Opfer übergegangen ist.«

Ist einer ein *Seismograph*, der, immerhin im April 1943, erst bei »solchen Mitteilungen von der Ahnung einer ungeheueren Gefahr« ergriffen wird? Ist einer ein brillanter Stilist, der die Erschießungen von Juden »spielen« läßt? Oder der »übrigens«, also nebenbei, mitteilt, daß »man zur Vergasung der Opfer übergegangen ist«?

Ist das nicht vielmehr der Stil eines Bürokraten? Und weicht der *Seismograph* nicht da, wo er genau werden und analytisch wenigstens fragen könnte und müßte, ins Nebulöse, Mystifikatorische aus? Oder darf man Betroffenheit nicht erwarten?

Betroffenheit ist in den »Strahlungen« nur selten zu spüren; gleichsam *normal* hingegen sind dort Berichte von Lektüren (unter anderem regelmäßig der Bibel, was ihm später auch die Bekundung einer »theologischen Kehre« eingetragen hat) und Treffen mit französischen Schriftstellern und Künstlern, mit Freunden und Bekannten zu einer Zeit, da in derselben Stadt Menschen von Deutschen gefoltert und gemordet und Juden zusammengetrieben und in die KZs abtransportiert werden. Die Jüngersche Formel »Dies alles gibt es also« kann zwar Jüngers Optik erklären, aber nicht seine Haltung zum Geschehen damals im besetzten Frankreich verständlich machen. Auch die bei Goethe abgelesene Maxime »Doch im Innern ist's getan« mag für Jünger selbst glaubwürdig sein, zeigt aber eine Verschlossenheit gegenüber dem konkreten Leid, die zumindest erstaunt.

Eine andere typische Notiz für diese Haltung in den »Strahlungen« (nach der Erstausgabe von 1949, der Text wurde später verändert), vom 18. August 1942:

»In einem Papiergeschäft der Avenue de Wagram ein Notizbuch gekauft; ich war in Uniform. Ein junges Mädchen, das dort bediente, fiel mir durch den Ausdruck seines Gesichtes auf; es wurde mir deutlich, daß es mich mit erstaunlichem Haß betrachtete. Die hellen, blauen Augen, in denen die Pupillen zu einem Punkte zusammengezogen waren, tauchten ganz unverhohlen mit einer Art von Wollust in die meinen – mit einer Wollust, mit der vielleicht der Skorpion den Stachel in seine Beute bohrt. Ich fühlte, daß es derartiges doch wohl seit langem nicht unter Menschen gegeben hat. Auf solchen Strahlenbrücken kann nichts anderes zu uns kommen als die Vernichtung und der Tod. Auch spürt man, daß es überspringen möchte wie ein Krankheitskeim oder ein Funke, den man in seinem Innern nur schwer und nur mit Überwindung löschen kann.«

Erstaunlich ist, daß Jünger den Haß im Gesicht der jungen Französin angesichts eines deutschen Besatzungsoffiziers in

Uniform »erstaunlich« findet; stünde da *verständlich*, wäre »Strahlungen« ein anderes Buch, Jünger ein anderer Schriftsteller. Auch ist zu bedenken, wer damals »Skorpion« und wer »Beute« war. Jüngers Formulierung verrät einen ahistorischen, in diesem Falle sogar geschichtsfälschenden Egozentrismus.

Auch auf Ernst Jüngers Schreibweise war gemünzt, was Gustav René Hocke 1946 in der Zeitschrift »Der Ruf« als »Deutsche Kalligraphie« attackierte: »Ganz freiwillig war diese merkwürdige stilistische Esoterik ja in vielen Fällen keineswegs. Sie entstand aus der Behutsamkeit, zu schreiben, ohne sich politisch zu kompromittieren oder um der wölfischen Zensur auszuweichen. Allmählich verflüchtigte sich allerdings der Inhalt der Aussage zugunsten der Form immer mehr, bis schließlich eine artistische Meisterschaft der Worthandhabung ohne wesentlichen Inhalt verblieb.«

Doch konnte das für Tagebücher gelten, wie Jünger sie veröffentlichte? Die er von Auflage zu Auflage, wie er sagte: *stilistisch* bearbeitet hat.

Jedenfalls stellte Hocke dagegen das Bedürfnis nach einem anderen Verständnis von Sprache: »Als wesentlich stellt es sich dar, daß er (der Schriftsteller) heute zur Umwelt ein unmittelbares Verhältnis gewinnt und die Sprache seiner Zeit und seiner Über-Zeit versteht – und schreibt.«

8.

Wolfgang Weyrauch nannte die in seiner berühmten Anthologie »Tausend Gramm« (1949) erschienenen Erzählungen junger Schriftsteller »neue Geschichten«. Sie entsprachen dem Hockeschen Verständnis von einer notwendig neuen Sprache. Neu daran waren, und zwingend wirklichkeitsnah, die Themen: aus jüngster Vergangenheit und konkret durchlittener Gegenwart, aus unmittelbar erfahrener Kriegs- und

Nachkriegszeit. Und sie lagen gleichsam auf der Straße: »Trümmer-Literatur« nannte Heinrich Böll noch Anfang der fünfziger Jahre jene junge deutsche Literatur, die nicht den Verdrängungsmechanismen erlag, mit deren Hilfe die deutsche Gesellschaft nach Währungsreform 1948 und Staatsgründung 1949 unbeschwert in die materielle und politische Restauration glitt. Die Literatur, die Heinrich Böll meinte, wollte und sollte die Erinnerung bewahren an Krieg und Nachkriegszeit, sie wollte zeigen, welche menschliche und moralische Vernichtungsarbeit der Krieg verrichtet hatte, und sie sollte anleiten zur Besinnungs- und Bewältigungsarbeit, sollte ein Bewußtsein von Scham erzeugen angesichts der Verbrechen, an denen die Deutschen teilgehabt hatten – jene Deutschen, die sich ja in so großer Menge und in so kurzer Zeit nicht grundsätzlich verändert haben konnten.

Für diese schuldig gewordene, aber sich keineswegs als schuldbeladen empfindende Gesellschaft wollten die jungen deutschen Schriftsteller nach 1945 eine grundstürzende Erneuerung. Sie wollten *tabula nova* machen, an einem *Nullpunkt* beginnen, einen literarischen »Kahlschlag« setzen, wie Wolfgang Weyrauch es genannt hat. Die Begriffe *Nullpunkt* und *Kahlschlag* und Heinrich Bölls Bekenntnis zur *Trümmer-Literatur* charakterisierten die moralische und formale Verfassung, in der sie selbst sich und das, was sie schrieben, befanden: Autoren, die nach einer neuen Sprache suchten und um ein neues Selbstverständnis mittels ihrer Literatur rangen. Denn es gab keine zeitgenössische deutsche Literatur, die sie als Orientierung akzeptierten: Die traditionellen und weithin apologetischen Texte der älteren Autoren, die in Deutschland geblieben waren, lehnten sie ab – und die Emigranten waren ihnen noch räumlich und bald auch mit ihren Problemen fern.

Selbst einen so radikalen und sperrigen Schriftsteller wie Hans Henny Jahnn, dessen großer Romankomplex »Fluß ohne Ufer« schon 1949 und 1950 erschienen ist – der »Epilog« zur Trilogie wurde 1961 aus dem Nachlaß veröffentlicht –, nahmen bis zu seinem Tod im Jahr 1959 nur wenige

Schriftsteller und Kritiker als eine der wesentlichen Stimmen in der Literatur des 20. Jahrhunderts wahr. Das Generalthema seines gesamten Werks ist die Sehnsucht nach der Einheit von Sexualität und Erkenntnis, nach der Übereinstimmung von natürlichem und geistigem Wesen; ihre gewaltigen, oft aber auch gewaltsam inszenierten Obsessionen sind Inzest, Homosexualität und Sodomie, das Grauen vor der Verwesung des Körpers und die Angst vor dem Sterben, die Feier der knabenhaften Initiation – diese Obsessionen Jahnns und sein berserkerhafter Stil waren es wohl vor allem, die ihn vielen jungen Schriftstellern so fremd erscheinen ließen. Schon in den zwanziger Jahren hatte Jahnn mit seinen Dramen (vor allem »Pastor Ephraim Magnus«, bereits 1919 gedruckt und 1920 mit dem renommierten Kleist-Preis ausgezeichnet) und dem Roman »Perrudja« (1929) Skandal gemacht. Er war in keiner gesellschaftlichen Norm unterzubringen, weder damals noch jetzt, da es um einen vernünftigen Weg aus dem Inferno von Nationalsozialismus und Krieg in eine sozial und demokratisch verfaßte Gesellschaft ging. Freilich hatte sich Jahnn, aus Gründen des Überlebens (auch seiner Literatur in Deutschland) nicht nur nicht eindeutig distanziert vom »Dritten Reich«, sondern über seinen Freund Gustaf Gründgens sogar Kontakt zu Hermann Göring gesucht und gefunden.

9.

Die jungen Schriftsteller wollten den neuen Anfang um jeden Preis; und sie traten damit sehr bewußt das historische deutsche Erbe an. Sie wollten es nicht ausschlagen – und konnten es auch nicht.

Die ersten literarischen Wortführer in dieser unter dem unmittelbaren Eindruck von Nationalsozialismus und Krieg stehenden Zeit waren Wolfgang Borchert und Heinrich Böll.

Borcherts Hörspiel und Stück »Draußen vor der Tür«, 1947 uraufgeführt, und Heinrich Bölls Erzählung »Der Zug war pünktlich« (1949) artikulieren beispielhaft ein Generationsgefühl, das vor allem Reaktion auf vorgefundene und selbst erlebte Geschichte war: Borcherts Figur Beckmann fordert Rechenschaft von jenen, die ihn in den Krieg jagten und zum Krüppel machten; der Soldat Andreas bei Böll erfährt sein Überleben im Krieg als Zufall. Beiden ist der Krieg eine gnaden- und sinnlose Verwüstung des Menschen, und die Protagonisten beider Schriftsteller sind die typischen Vertreter einer sich als ohnmächtig, geschlagen, verloren empfindenden Generation. Sie artikulieren jenes Lebensgefühl, das auch Günter Eich mit seinen nüchtern-lakonischen Gedichten formulierte, jenen Bestandsaufnahmen, die nur noch aufzählen konnten, was der Krieg übriggelassen hatte. In dieser Literatur, die sich doch im Aufbruch befand, erscheint das Individuum noch ganz zurückgeworfen auf seine nackte, leidende, zufällige Existenz.

Hier entstand jenes Bedürfnis nach gesellschaftlicher Teilnahme, dem der französische Existentialismus von Sartre und Camus und ihr Konzept einer *engagierten Literatur* entgegenkamen; der Existentialismus in seiner linken Variante, wie er sich in der französischen Résistance gegen den Faschismus entwickelt hatte, war in den fünfziger Jahren einer der wichtigsten Orientierungspunkte für die jungen deutschen Intellektuellen. Er bot den Schriftstellern Formeln und Verhaltensmuster für ein moralisch-politisches Engagement, das für die Entwicklung des nonkonformistischen Räsonnements und den moralisierenden Tenor ihrer Literatur in der 1949 gegründeten Bundesrepublik mit entscheidend war.

Langsam bildete sich auch in der westdeutschen Bevölkerung unter dem Druck vor allem amerikanischer *Reeducation*-Politik das Verständnis für die neue Demokratie. Es wurde vorderhand geprägt von einer als christlich firmierenden Politik, die das 1945 entstandene moralische Vakuum schnell auffüllte. Das wirtschaftspolitische, also marktwirtschaftliche System in dem neuen, demokratisch verfaßten Staat wurde durch massive amerikanische Hilfe stabilisiert; die offizielle Politik war straff antikommunistisch ausgerichtet. Der sich ausbildende Demokratiebegriff war primär defensiv: mit einem immer versöhnlicheren Blick auf die nationalsozialistische Vergangenheit und einem unversöhnlichen Blick auf den kommunistischen Osten. Wer die so angelegte junge Demokratie von einem radikaleren und offeneren Demokratieverständnis als dem praktizierten patriarchalischen der Adenauer-Zeit her kritisierte, wurde sehr leicht des Kommunismus verdächtigt und mit der Aufforderung bedacht, er solle doch *nach drüben* gehen.

In diesem Umfeld markierten Camus' Begriff des Absurden und Sartres Bestimmungen von Existentialismus und engagierter Literatur die Pole, zwischen denen sich die jungen Schriftsteller in ihrer Auseinandersetzung mit Nationalsozialismus und Krieg und mit ihrer gegenwärtigen politischen und individuellen Situation auf einer gemeinsamen Position finden konnten. Die Differenz zwischen Sartre und Camus, die anläßlich von Camus' Buch »Der Mensch in der Revolte« 1951 schließlich zum Bruch führte, spielte für die deutschen Intellektuellen damals keine entscheidende Rolle – für sie blieben die Positionen beider Franzosen wichtig und lieferten ihnen das Vokabular. Ebenso wie der Begriff des Absurden die Fragwürdigkeit politischen Handelns umschloß – und später das absurde Theater und die absurde Literatur die historischen und gesellschaftlichen Widersprüche bloß noch ästhetisierend depravierten –, diente das Wort von der *engagierten Literatur,* der *littérature engagée*, zur moralisch argumentierenden, von der politischen Aktion bewußt abgeschnittenen Re-Aktion der Literatur auf die politische und gesellschaftliche Realität.

Geradezu beispielhaft für diesen – erst nachträglich historisch fixierbaren und gleichwohl spekulativen – Sachverhalt ist die Gründung der »Gruppe 47«, die diese Entwicklung begleitet und mit bewirkt hat: Seit 1946 gaben Hans Werner Richter und Alfred Andersch die politisch-literarische Zeitschrift »Der Ruf« heraus, ein publizistisches Forum für jene Intellektuellen, welche die politische Neuorientierung der deutschen Gesellschaft auf dem Weg einer linksliberalen Demokratisierung erreichen wollten. Die Zeitschrift wurde 1947 von den Amerikanern eingestellt, weil ihnen die demokratische Entschiedenheit zu weit ging, mit der dort politisch, und zwar mit sozialistischen Anklängen, argumentiert wurde. Aus jenen, die den »Ruf« als politische Plattform verstanden hatten, wuchs die »Gruppe 47«, die, zumal mit ihren gelegentlichen Ausflügen in die aktuelle Politik, der jungen und modernen Literatur in der Bundesrepublik am nachdrücklichsten zur Emanzipation verholfen hat. Ihr moralisches Selbstverständnis wirkte bis tief in die sechziger Jahre.

10.

Die deutsche Geschichte nahm einen Verlauf, den die jungen nonkonformistischen Schriftsteller nicht wünschten. Mit den beiden Währungsreformen in den drei Westzonen und der sowjetisch besetzten Zone wurde 1948 der Keim für die Teilung Deutschlands gelegt, die 1949 mit der Gründung der Bundesrepublik Deutschland und der Deutschen Demokratischen Republik vollzogen wurde. Die Bundesrepublik integrierte sich in ein westliches Bündnis und wurde innerhalb weniger Jahre aufgebaut. Christdemokratische Politik, die in der Bundesrepublik auf Jahre hinaus die Führung behauptete, diente in scharfer antikommunistischer Konfrontation zur DDR den restaurativen Tendenzen und Strukturen, die der deutschen Gesellschaft noch eigen waren. Höhepunkte der restaurativen Konservation brachten die Wahlkämpfe der Jahre 1957 und 1961 zur Sprache: 1957, als die herrschende Adenauer-Partei die entlarvende Wahlparole »Keine Experimente« ausgab, und 1961, als der damalige Bundeskanzler Konrad Adenauer den SPD-Kanzlerkandidaten Willy Brandt wegen *Landesverrats* diffamierte, weil dieser vor den Nazis geflohen war und auf alliierter Seite gegen sie gestanden hatte.

Wolfgang Borchert und Heinrich Böll waren die Protagonisten einer gerade noch gesamtdeutsch zu nennenden Literatur, deren Autoren recht unmittelbar auf ihre Erfahrungen im Krieg und im nationalsozialistischen Deutschland antworteten. Die für die fünfziger Jahre charakteristischen literarischen Stoffe der nonkonformistischen Literatur von Heinrich Böll bis Arno Schmidt reagierten auf die Restauration in der Bundesrepublik: mit Kritik an der hemmungslosen Wirtschafts- und Konsumgläubigkeit, mit Wut über das Wiederauftauchen alter Nazis in Wirtschaft und Bürokratie und mit Zorn über staatlich konzessioniertes, sich christlich nennendes Pharisäertum und bürgerliche Bigotterie. Die jungen Schriftsteller waren, weil sie nie wieder einen totalitären Staat zulassen wollten, mit den Problemen im eigenen Land beschäftigt – was ihnen von konservativen Gegnern häufig den Vorwurf der *Nestbeschmutzung* eingetragen hat.

Neben Heinrich Böll, der die frühen kritischen Ansätze seines Erzählwerkes kontinuierlich erweiterte, war der wohl wichtigste westdeutsche Romancier dieser Zeit Wolfgang Koeppen. Er hatte in den dreißiger Jahren beim »Berliner Börsen-Courier« gearbeitet und während des »Dritten Reichs« zwei Romane veröffentlicht: »Eine unglückliche Liebe« (1934) und »Die Mauer schwankt« (1935, unter dem Titel »Die Pflicht« 1939). Erst 1992 erschien unter seinem Autor-Namen ein Text, den er bereits 1948 geschrieben hatte: »Aufzeichnungen aus einem Erdloch«. Koeppen hat diese Aufzeichnungen frei erzählt nach den wenigen Notizen Jakob Littners, eines von den Nazis verfolgten Münchner Juden, der die Hölle polnischer Ghettos und die Verfolgung überlebt hatte; das Buch war damals unter Littners Namen erschienen.

In rascher Folge erschienen dann zwischen 1951 und 1954 von Wolfgang Koeppen drei Romane: »Tauben im Gras«,

»Das Treibhaus« und »Der Tod in Rom«. Koeppen, der Stilelemente von Faulkner, Dos Passos und Joyce – Montagetechnik und psychologisch motivierten inneren Monolog – auf souveräne eigene Weise kombiniert, beschreibt in allen drei Romanen bundesrepublikanische Gegenwart und das Herüberwirken nationalsozialistischer Elemente in die zeitgenössische Alltäglichkeit, in die private wie in die öffentliche. Koeppen erkennt die autoritären Verkrampfungen in den neuen demokratischen Strukturen, und er bemerkt früher als irgendein anderer Autor die wechselseitigen Wirkungsmechanismen zwischen dem wirtschaftlichen Aufschwung und einer Enthumanisierung des gesellschaftlichen Lebens, aber er durchleuchtet vor allem auch den Zwangscharakter, der politischer Machtausübung innewohnt.

Der erste Roman »Tauben im Gras« liefert mit seinen knappen und plastischen, wie im Kaleidoskop wechselweise ineinandergeschachtelten Szenen das Bild der Nachkriegsgesellschaft, die parabolisch in einzelnen Figuren vorgeführt wird: samt und sonders Figuren auf einem Schachbrett, deren Handeln an ein und demselben Ort und an einem einzigen Tag diagnostiziert wird. Charakteristisch für Koeppens Montagetechnik ist der Anfang des Romans, der ein scharf konturiertes Bild der frühen fünfziger Jahre collagierend skizziert:

»Flieger waren über der Stadt, unheilkündende Vögel. Der Lärm der Motoren war Donner, war Hagel, war Sturm. Sturm, Hagel und Donner, täglich und nächtlich, Anflug und Abflug, Übungen des Todes, ein hohles Getöse, ein Beben, ein Erinnern in den Ruinen. Noch waren die Bombenschächte der Flugzeuge leer. Die Auguren lächelten. Niemand blickte zum Himmel auf.

Öl aus den Adern der Erde, Steinöl, Quallenblut, Fett der Saurier, Panzer der Echsen, das Grün der Farnwälder, die Riesenschachtelhalme, versunkene Natur, Zeit vor dem Menschen, vergrabenes Erbe, von Zwergen bewacht, geizig, zauberkundig und böse, die Sagen, die Märchen, der Teufelsschatz: er wurde ans Licht geholt, er wurde dienstbar gemacht. Was schrieben die Zeitungen? *Krieg um Öl, Verschärfung im Konflikt, der Volkswille, das Öl den Eingeborenen, die Flotte ohne Öl, Anschlag auf die Pipeline, Truppen schützen Bohrtürme, Schah heiratet, Intrigen um den Pfauenthron, die Russen im Hintergrund, Flugzeugträger im Persischen Golf.* Das Öl hielt die Flieger am Himmel, es hielt die Presse in Atem, es ängstigte die Menschen und trieb mit schwächeren Detonationen die leichten Motorräder der Zeitungsfahrer. Mit klammen Händen, mißmutig, fluchend, windgeschüttelt, regennaß, bierdumpf, tabakverbeizt, unausgeschlafen, alpgequält, auf der Haut noch den Hauch des Nachtgenossen, des Lebensgefährten, Reißen in der Schulter, Rheuma im Knie, empfingen die Händler die druckfrische Ware. Das Frühjahr war kalt. Das Neueste wärmte nicht. *Spannung, Konflikt,* man lebte im Spannungsfeld, östliche Welt, westliche Welt, man lebte an der Nahtstelle, vielleicht an der Bruchstelle, die Zeit war kostbar, sie war eine Atempause auf dem Schlachtfeld, und man hatte noch nicht richtig Atem geholt, wieder wurde gerüstet, die Rüstung verteuerte das Leben, die Rüstung schränkte die Freude ein, hier und dort horteten sie Pulver, den Erdball in die Luft zu sprengen. *Atomversuche in Neu-Mexiko, Atomfabriken im Ural,* sie bohrten Sprengkammern in das notdürftig geflickte Gemäuer der Brücken, sie redeten von Aufbau und bereiteten den Abbruch vor, sie ließen weiter zerbrechen, was schon angebrochen war: Deutschland war in zwei Teile gebrochen. Das Zeitungspapier roch nach heißgelaufenen Maschinen, nach Unglücksbotschaften, gewaltsamem Tod, falschen Urteilen, zynischen Bankrotten, nach Lüge, Ketten und Schmutz. Die Blätter klebten verschmiert aneinander, als näßten sie Angst. Die Schlagzeilen schrien: *Eisenhower inspiziert in Bundesrepublik, Wehrbeitrag gefordert, Adenauer gegen Neutralisierung, Konferenz in Sackgasse, Vertriebene klagen an, Millionen Zwangsarbeiter, Deutschland größtes Infanteriepotential.* Die Illustrierten lebten von den Erinnerungen der Flieger und Feldherren, den Beichten der strammen Mitläufer, den

Memoiren der Tapferen, der Aufrechten, Unschuldigen, Überraschten, Übertölpelten. Über Kragen mit Eichenlaub und Kreuzen blickten sie grimmig von den Wänden der Kioske. Waren sie Akquisiteure der Blätter, oder warben sie ein Heer? Die Flieger, die am Himmel rumorten, waren die Flieger der andern.«

Eine poetische Diagnose der damaligen Zeit gibt auch der Roman »Das Treibhaus«, der in der Ersatzhauptstadt Bonn spielt. Auf ähnlich poetische Weise analysiert Koeppen in ebensolcher Collagetechnik, die hier allerdings einem breiter angelegten reflektierenden Erzählen Raum läßt, das Wesen politischer Macht zu einer Zeit, da die Wiederaufrüstung der Bundesrepublik beschlossen wird. Hauptfigur des Romans ist der Emigrant Keetenheuve, Abgeordneter der großen oppositionellen Partei: Seine Sensibilität und die politische Radikalität seines Denkens sind in einer verharschten, weil korrupten und opportunistischen Politik zwischen Regierung und Opposition ohne Sinn, weil ohne Zugriff und Einfluß. Doch statt sich zur Abgabe eines bestimmten Votums bestechen zu lassen, begeht er auf spektakuläre Weise Selbstmord; er stürzt sich von einer Brücke in den Rhein.

In seinem dritten Roman »Der Tod in Rom« diagnostiziert Koeppen das neue Auftreten alter Nazis als restauratives Symptom. Seine Beispielfiguren sind Judejahn, ein revanchebesessener ehemaliger SS-General, und sein Schwager Pfaffrath, ein ehedem hoher Parteigenosse, der bei der neuen christlich-konservativen Partei wieder Fuß gefaßt hat. Koeppens erzählerische Technik ist noch radikaler geworden als im ersten Roman, scharf umrissene Einzelbilder werfen exemplarische Schlaglichter auf die gesellschaftliche Realität, die sich dem zur Aktion unfähigen, ohnmächtigen, aber kritisch beobachtenden Intellektuellen präsentiert: eine lieblose und kommunikationslose Wirklichkeit, die der junge Komponist Siegfried Pfaffrath zwischen den eiskalten Machtspielen und Konventionen seiner Familie erleidet.

Kein westdeutscher Romancier nach Wolfgang Koeppen

hat die bundesrepublikanische Gesellschaft der fünfziger Jahre und ihre bis heute andauernden, in der Restauration entstandenen Widersprüche so scharf analysiert und ihre immanenten, individuellen wie allgemeinen, Probleme gleichzeitig auf so exemplarische Weise dargestellt.

Aber Koeppen ist nach diesen Romanen als kritischer Chronist der deutschen Nachkriegszeit verstummt. Die Kritik hat daraus einen *Fall Koeppen* konstruiert: den Fall eines Erzählers, der, weil sich die von ihm kritisierten gesellschaftlichen Verhältnisse nicht veränderten, das Schreiben politischer Romane aufgegeben habe und auf Reiseliteratur ausgewichen sei. Dieser *Fall* gehört ins Reich der Legenden. Zum einen, weil Koeppen, wie er selbst ausdrücklich betonte, an der Wirkung dessen, was er schreibt und geschrieben hat, gänzlich uninteressiert ist. Zum zweiten, weil andere als öffentlich zu machende, jedenfalls primär keine *literarischen* Gründe die Produktion dieses bedeutenden Schriftstellers beeinträchtigen. Daran, daß Koeppens Romane in den fünfziger Jahren, und eigentlich bis heute, nicht die verdiente Breitenwirkung fanden, hat auch die literarische Kritik dieser Zeit einen wesentlichen Anteil; denn sie hat Koeppens Diagnosen, die voller Trauer über die deutsche Gegenwart sind, wütend (und nicht zu Unrecht) als bittere Anklagen verstanden und heftig abgewehrt. Dem sich restaurierenden und fast schon wieder saturierten Bürgertum war auch die skeptische Klage zuviel der Kritik an ihrer sich wieder etablierenden Lebensform – und in eben diesem Sinne war die Kritik ein charakteristisches Spiegelbild dieser Zeit; gegen sie konnten sich auch andere junge Schriftsteller nur schwer und langsam durchsetzen.

Auch Heinrich Böll war schon in den fünfziger Jahren heftiger politischer und vor allem klerikaler Kritik ausgesetzt. Seine parallel zu Koeppens Romanwerk erschienenen Erzählungen und Romane greifen in meist realistischer, zuweilen mit ironisch-satirischen Einschüssen durchsetzter Schreibweise Themen und zeittypische Figurationen auf.

Der 1953 erschienene Roman »Und sagte kein einziges Wort« übt Kritik an der sterilen Konsumzivilisation und erklärt die Entfremdung eines Mannes und Vaters von Frau und Familie mit Wohnraummangel. Doch was in der knappen Wiedergabe so banal und alltäglich klingt, ist bei Böll immer auch symbolisch gemeint, soll den bigotten Klerikalismus und das bloß verbale Wohltätigkeitsgetue als doppelte Moral der Wohlstandsgesellschaft charakterisieren – Böll stellt individuelles Leid gegen pharisäische Umwelt, die nur das eigene, wachsende Wohlergehen im Auge hat.

Im ein Jahr später veröffentlichten Roman »Haus ohne Hüter« schildert Böll das Schicksal zweier Kriegerwitwen mit ihren vaterlos aufwachsenden Söhnen; beide Frauen gehen an ihrer Existenz zu Grunde: die eine, die reiche Witwe eines Schriftstellers, aus Selbstmitleid; die andere, arme, aus finanzieller Not in Onkelehe lebende, erlischt als Mensch an der Lieblosigkeit ihrer Beziehung und an den Vorurteilen ihrer Umwelt.

Ein positives Gegenbild zu der dort gezeigten Wolfsgesellschaft entwarf Böll mit seiner Erzählung »Das Brot der frühen Jahre« (1955). Das Brot – für Böll ein Zeichen im Sinne des kirchlichen Sakraments – ist für ihren jungen, in der Lieblosigkeit der Nachkriegszeit aufgewachsenen Helden Walter Fendrich ein doppeltes Symbol: sowohl von Liebe als auch von Gier und Selbstsucht. Umhergetrieben in einer am Schicksal des Einzelnen uninteressierten, unbeteiligten Gesellschaft trifft er plötzlich auf ein junges Mädchen, das seine Resignation vertreibt und ihn für die Liebe öffnet. Die unwirtliche Realität wird, etwas märchenhaft, wie häufig bei Böll, in der individuellen Liebesbeziehung überwunden.

Schon die knappe Charakterisierung der Erzählwerke beider Schriftsteller macht die Verschiedenartigkeit ihrer Reaktion auf die Wirklichkeit deutlich. Wo Koeppens kaleidoskopartige Erzählweise die gesellschaftliche Realität sowohl umfassend als auch analytisch in den Blick nimmt und die persönlichen, individuellen Beziehungen immer in den Zusammenhang der kritisch erkannten gesamtgesellschaftlichen Konstruktion stellt, bleibt Bölls Realismus dem individuellen, überschaubaren, kleinen Gesellschaftsausschnitt verhaftet. Während Koeppen den Blick des Lesers auf die Totale lenkte, beschränkte sich Böll auf den detailliert geschilderten Wirklichkeitsausschnitt und erhob für ihn den Anspruch des Typischen, des Exemplarischen. Darüber hinaus blieb Böll nicht bei der Trauer stehen, sondern beanspruchte vom Leser Mitleiden mit seinen Figuren, um so auf dem alten kathartischen Weg der Einfühlung dessen Sympathie für die Schwachen und Unterlegenen zu gewinnen. Böll wollte schreibend etwas bewirken, Koeppen konnte, aus seiner Perspektive, nur diagnostizieren, weil er das Bessere, an das Böll glaubte, nicht sah.

II.

Der in den fünfziger Jahren neben Koeppen und Böll bedeutendste deutschsprachige Romancier kam aus der Schweiz: Max Frisch lieferte 1954 mit »Stiller« und 1957 mit »Homo faber« jenen Romantypus, dessen sprachliche Virtuosität und thematische Problematik – Fragen der Identität der Person und der Freiheit des Individuums in einem gesellschaftlich eng vorbestimmten Handlungsraum – der jungen deutschen Literatur weit voraus waren. Nicht unangefochten von dem, was sich in Deutschland ereignet hatte, und von dem, was nun neu dort versucht wurde, doch auch nicht so fixiert auf die Vergangenheit wie viele deutsche Schriftsteller, konnte Frisch unbefangener als sie aus einer existentialistischen Perspektive den Problemen des Individuums nachspüren.

Für Frisch gab es das Hemmnis einer alles Politische unmittelbar abweisenden literarischen Kritik in der Bundesrepublik, wie sie etwa Böll und Koeppen erfuhren, nicht. In der Schweiz wegen seiner dezidiert kritischen Haltung zum Kleinstaat Schweiz, zu seinem Wahlrecht und seiner Armee, wenig geliebt, aber dennoch prominent und hoch geachtet, wurde er in der Bundesrepublik mit der Zeit breit rezipiert und der klassische Fall eines auch an den Schulen häufig gelesenen Schriftstellers – dies wohl auch deshalb, weil vor allem seine gesellschaftskritischen Stücke nur mittelbar auf politische Wirkung angelegt waren und als exemplarische Parabeln, nicht als konkrete Fälle gelesen wurden (Musterbeispiel: »Biedermann und die Brandstifter«, 1953 als erfolgreiches Hörspiel, 1958 als noch erfolgreicheres Bühnenstück). Frisch selbst hat später die von ihm genutzte Parabelform als »Wechselbalg unter den literarischen Gattungen« bezeichnet.

Frischs zentrale Problematik in seinem Prosa-Werk – das Zerfallen der *modernen* Persönlichkeit unter den zunehmend aggressiven Ansprüchen der Gesellschaft und einer komplexeren Zeit und die ständige Suche des Menschen nach Möglichkeiten, in Übereinstimmung mit sich selbst zu leben (ein zentrales Thema in »Stiller«, 1954) – kam der Entwicklung der jungen deutschen Literatur im Prozeß ihrer Selbstverständigung zwar entgegen; doch schienen Max Frischs Romane in den fünfziger Jahren bei aller Übertragbarkeit der in ihnen verhandelten existentiellen Probleme zu privat angelegt, um einer Literatur schon entscheidende formale und inhaltliche Momente vermitteln zu können. Die junge westdeutsche Literatur war noch zu sehr mit der Bewältigung ihrer geerbten Schuld befaßt – und mit deren Tatsache geschlagen.

So mündet erst in den sechziger Jahren das Werk Max Frischs ganz in den neu entstandenen breiten Strom der deutschen Literatur ein, die sich nun mehr und mehr jenen individualistischen und formalen erzählerischen Problemen zuwendete, die von Max Frisch entscheidend mit vorgezeichnet waren.

Ohnedies floß ja auch bereits in den fünfziger Jahren der Strom der Literatur breiter, als es sich hier an einzelnen Schriftstellern nachweisen läßt. Böll und Koeppen ebenso wie Plievier, Ledig, Remarque oder Richter mit ihren frühen realistischen Kriegsromanen hatten die Sinnlosigkeit des Krieges, hatten Militarismus und Verbrechen in ihrer alltäglichen Erfahrung auch literarisch ins Bewußtsein der Gegenwart gehoben – doch die meisten von ihnen erreichten nur mühsam und spät eine größere Leserschaft.

Erfolgreich hingegen war damals ein anderer Erzähler, in dessen Werk sich ein Zug zur literarischen Rehabilitierung der jüngsten deutschen Geschichte andeutete: Gerd Gaiser. Gaiser, wie Ernst Jünger abseits vom literarischen Leben seiner Zeit, war antikem und klassischem Bildungserbe verpflichtet, ohne dessen antizipatorische Kraft zu aktualisieren. Er war der Prototyp eines Romanciers, der das politische Element aus seinem Schreiben heraushalten wollte und statt dessen archaische Ursprünglichkeit und Ungebrochenheit zu evozieren versuchte: Gesundheit, Echtheit, Vertrauen, Heldentum – das sind Vokabeln, mit denen Inhalt und Absicht seines Erzählens charakterisiert werden können. Seine erfolgreichsten Romane sind »Die sterbende Jagd« von 1953 und »Schlußball« von 1958. Die ›Heldensaga‹ einer Fliegerstaffel im Zweiten Weltkrieg, der Roman »Die sterbende Jagd«, gewinnt der widrigen Wirklichkeit immer noch eine positive – die kameradschaftliche – Seite ab, obgleich auch die Staffel schließlich zum Untergang verurteilt ist. Das vorgegebene *Positive* in Gaisers Kriegsromanen und -erzählungen findet keinen tatsächlichen Halt, weil dieses mehr erahnte als gewußte Positive sich nicht in Aktion nach vorn wendet, sondern nach rückwärts in eine fatalistische Resignation fällt, die eine vergangene, mit naiver Herrenmoral ausgestattete Welt betrauert.

Auch im »Schlußball« – einer Attacke auf das seelen- und

geistlose Leben einer vom Wirtschaftswunder betäubten Mittelschicht – bleibt die vorgeblich kritische Haltung zum Zeitgeist oberflächlich. In den klischeehaft gezeichneten Figuren erweist sich die Blindheit ihres Autors gegenüber der komplexen Wirklichkeit und ihren Forderungen; pauschalisierende Wertungen zeigen an, daß die angeblich kritische Haltung gegenüber dem Opportunismus der Nachkriegs-Gesellschaft, die Gaiser im »Schlußball« einnimmt, eher von allgemeinem antizivilisatorischem Widerwillen als von differenzierten gesellschaftsbezogenen Erkenntnissen, also von Vorurteilen bestimmt ist. Gaiser bewahrt eine vergangene Lebens- und Werteordnung, ohne sich den historischen Veränderungen zu stellen.

Mit dieser Haltung hat Gaiser in der Bundesrepublik der Wiederaufbau- und Restaurationsphase zahlreiche Leser gefunden, und die literarische Kritik hat ihn lange für einen der bedeutendsten Erzähler der neuen deutschen Literatur ausgegeben – mit wachsender kritischer Bewußtheit der Leser aber versank er immer mehr in Bedeutungslosigkeit.

Mißt man die literarische Kritik an Koeppen und Gaiser an den kargen Maßstäben, nach denen in den fünfziger Jahren geurteilt wurde, so offenbart sich ein kritisches Manko, das die für die Entwicklung der Literatur (nicht ihres Betriebs) ephemere Rolle, die selbst die großen Kritiker dieser Zeit gespielt haben, nachträglich bestätigt. Koeppens Mißerfolg und Gaisers Erfolg sind Symptome für die geistigen Verhältnisse der Deutschen gegen Ende der fünfziger Jahre: Die Flucht vor einer unheilen Wirklichkeit in die romantisierende Literatur entsprach den Auswirkungen einer restaurativen, mit christlichen Topoi gaukelnd jonglierenden Politik. In dem Maße, in dem die herrschende Politik das Erreichbare erreicht zu haben glaubte, die Entwicklung des demokratischen und sozialen Bewußtseins und seine Praxis aber hinter der Befriedigung der materiellen Bedürfnisse weit zurückhingen – in diesem Maße blieb die Literatur der fünfziger Jahre, mißt man sie heute an der Literatur der sechziger Jahre, vorläufig.

Mit der Geschichte dieser Literatur, die unter dem Eindruck von Krieg und Nachkriegszeit stand, ist die Geschichte der »Gruppe 47« unverbrüchlich verbunden. Nie als Gruppe begründet, trat sie literarisch oder politisch auch nie als Gruppe auf; sie lebte vom Gespräch, vom literarischen Streit, von den politischen Debatten (die erst nach den literarischen Lesungen und kritischen Gesprächen stattfanden). Und dennoch wurde dieser »Freundeskreis« (Hans Werner Richter), wurde diese »Clique« (Hans Magnus Enzensberger) von der Öffentlichkeit – Publikum und literarischer Kritik – stets als geschlossene Gruppe gewertet und nicht selten attackiert: Ein längst vergessener CDU-Politiker namens Dufhues beschimpfte die »Gruppe 47« als neuerstandene »geheime Reichsschrifttumskammer«, andere Konservative nannten sie ein *linkes Intellektuellenkartell* – Beleidigungen, die übrigens von der Gruppe süffisant genossen wurden, anders als später die Angriffe von links, die einiges zum Ende der Gruppe beigetragen haben.

Der Gruppe gehörten in der Zeit von 1955 bis 1965 die wichtigsten Vertreter der jungen westdeutschen Literatur an: Hans Werner Richter, Alfred Andersch, Heinrich Böll, als Gast aus der DDR Johannes Bobrowski; Günter Eich, Wolfgang Hildesheimer, Walter Kolbenhoff und Wolfgang Weyrauch. Doch zwischen 1955 und 1965 trat eine neue Generation auf, die nur zum Teil die Themen der fünfziger Jahre aufnahm und dort, wo sie es tat, ein entschiedenes und kritisches Selbstbewußtsein und eine neue stilistische Virtuosität zeigte: die Generation der in ihrem gesellschaftlichen und literarischen Nonkonformismus einander nahe scheinenden (und lange Zeit auch einander nahe stehenden) Schriftsteller wie Hans Magnus Enzensberger, Peter Weiss, Martin Walser, Günter Grass, Uwe Johnson und Ingeborg Bachmann – sie lebten sich erst in den späten sechziger Jahren politisch und literarisch auseinander.

Die »Gruppe 47« hatte sich als literarischer Freundes- und Diskussionskreis zusammengefunden, nachdem einigen ihrer späteren Mitglieder das Publikationsforum einer politischen Zeitschrift – des »Ruf« – genommen war. Und obgleich sie sich dann ausschließlich als literarische Gruppe etablierte, beharrte sie, und das hieß: Hans Werner Richter, auf einem ungeschriebenen politisch-moralischen Grundsatz: Zu ihren Tagungen wurde niemand eingeladen, der militaristischer, faschistoider oder auch nur militant konservativer Gesinnung verdächtig war. Diese Entscheidung wurde der Gruppe vielfach als Gesinnungsterror und Hochmut ausgelegt.

Die literarische Kritik hat sich erst gegen Ende der fünfziger Jahre ernsthaft mit der Gruppe auseinandergesetzt – da nämlich wurde es für die Kritik unmöglich, die Produkte ihrer Schriftsteller zu übergehen, ohne gleichzeitig den Fortschritt der deutschen Literatur zu ignorieren: Diese junge Literatur zwang, durch ihren Erfolg, mit der Zeit die Kritik, ihre neuen literarischen Maßstäbe zu reflektieren und schließlich zu akzeptieren.

Mit dem Zuwachs ihrer literarischen Bedeutung wurde auch die politische Opposition der »Gruppe 47« spürbarer, und die Gruppe wurde deshalb einmal mehr Gegenstand öffentlicher Auseinandersetzung. Was einzelnen Schriftstellern so vermutlich nicht gelungen wäre, gelang der »Gruppe 47« als *Clique*: Obgleich nur einige ihrer Mitglieder ihre politischen Ansichten bekanntgaben und die Politik attackierten, machte die Gruppe auf sich aufmerksam, wurde in der Öffentlichkeit mit einer politischen Meinung verbunden und opponierte so, freilich noch nicht demonstrativ handelnd, der regierungsamtlichen Politik – und blieb als Gruppe dennoch unangreifbar.

Die »Gruppe 47« übernahm damit in der öffentlichen Debatte eine kritische und moralische Funktion, die den politischen Repräsentanten damals mißfiel. Aber ebenso wie ihre Attacken auf die Politik rein verbal und, kurzfristig gesehen, wirkungslos blieben, nahmen sich auch die Attacken der Politiker auf die »Gruppe 47« eher wie Selbstentlarvungen denn als wirkungsvolle Zurechtweisungen aus. Und schließlich machten sich diese Polithändel sogar positiv als *Public-Relations* im steigenden Marktwert der Schriftsteller bemerkbar.

## 14.

1955 wurde die Bundesrepublik als Staat souverän. Hand in Hand mit der Aufnahme diplomatischer Beziehungen zur Sowjetunion wurde die scharfe Abgrenzung von der DDR praktiziert, entsprechend der *Hallstein-Doktrin,* wonach die BRD keine diplomatischen Beziehungen zu einem Land unterhielt, das die DDR als Staat anerkannt hatte. Ein Jahr später begann die Integration in das westliche Bündnis auch militärisch: Ein weiteres Mal wurde die Verfassung geändert, um Bundeswehr und allgemeine Wehrpflicht einzuführen. Im selben Jahr wurde die Kommunistische Partei verboten, bald darauf ersann das Bundesverfassungsgericht die Fünf-Prozent-Klausel, um kleine Parteien aus dem Bundestag fernzuhalten. 1958 bereits forderte der damalige Verteidigungsminister Franz Josef Strauß im Bundestag öffentlich die atomare Aufrüstung der Bundeswehr. Diese politische Entwicklung war begleitet von einer massiven wirtschaftlichen Hochkonjunktur: Diese Jahre waren der eigentliche Beginn der sich formierenden westdeutschen Konsumgesellschaft.

Zu dieser Zeit, aber eigentlich fern von dieser Wirklichkeit, entwickelte sich in zahlreichen Ansätzen die Vielfalt der deutschen Nachkriegsliteratur, in die sich auch noch die Literatur aus dem deutschsprachigen Ausland mischte. Günter Eich publizierte neben wichtigen Hörspielen moderat moderne Naturgedichte, Karl Krolow schrieb seine die Natur und die Vereinzelung des Menschen beschwörende Lyrik.

Das groteske Welttheater Friedrich Dürrenmatts hatte damals seine ersten und großen Erfolge. Die bürgerliche Gesellschaft erschien, in den Stücken Ionescos, als absurdes Theater auch auf deutschen Bühnen, ihm lieferten Wolfgang Hildesheimer Hör- und Theaterspiele und der damals unbekannte Günter Grass einige kleinere Stücke. Viele jüngere Schriftsteller waren noch mit ihrer literarischen Selbstverständigung befaßt, sannen wie Wolfgang Hildesheimer Problemen der Künstlerschaft und wie Max Frisch Fragen der Identität des Einzelnen nach. Zu dieser Zeit erschienen Martin Walsers erste Geschichten, die noch ganz unter dem Eindruck Kafkas standen, schrieb Walser aber auch schon seinen ersten Roman »Ehen in Philippsburg« (1957), in dem sich bereits das Thema seiner großen Kristlein-Trilogie ankündigte: die Abhängigkeit des Einzelnen in der kleinbürgerlichen Konkurrenzgesellschaft der Bundesrepublik. Auch erste Gedichte von Günter Grass – sein erster Gedichtband »Die Vorzüge der Windhühner« erschien 1956 – zielten kritisch auf die Konstanten kleinbürgerlichen Verhaltens und genormter Moral:

*Kinderlied*

Wer lacht hier, hat gelacht?
Hier hat sich's ausgelacht.
Wer hier lacht, macht Verdacht,
daß er aus Gründen lacht.

Wer weint hier, hat geweint?
Hier wird nicht mehr geweint.
Wer hier weint, der auch meint,
daß er aus Gründen weint.

Wer spricht hier, spricht und schweigt?
Wer schweigt, wird angezeigt.
Wer hier spricht, hat verschwiegen,
wo seine Gründe liegen.

Wer spielt hier, spielt im Sand?
Wer spielt muß an die Wand,
hat sich beim Spiel die Hand
gründlich verspielt, verbrannt.

Wer stirbt hier, ist gestorben?
Wer stirbt, ist abgeworben.
Wer hier stirbt, unverdorben,
ist ohne Grund verstorben.

Während in der Bundesrepublik die Restauration autoritärer sozialer Strukturen sich zu konservieren und immer unanfechtbarer scheinende Positionen einzunehmen begann, suchten die Schriftsteller nach Selbstverständigung und nach literarischer, das heißt stilistischer, thematischer und formaler Verbindlichkeit. Auf den Tagungen der »Gruppe 47«, nach den ritualisierten Lesungen auf dem von Richter so genannten *elektrischen Stuhl,* suchten die Schriftsteller, die von den wenigen Nur-Kritikern in der Gruppe (Joachim Kaiser, Marcel Reich-Ranicki, Hans Mayer, außerdem die Professoren Walter Jens und Walter Höllerer) noch nicht majorisiert wurden, nach den geeignetsten Formulierungen für bestimmte Stoffe und Themen. Sie betrieben, wie Martin Walser es beschrieben hat, *Grammatik- und Stilkritik.* Hatte man dort in den Anfängen der Gruppe einem schlichten und ausdrucksstarken Realismus nachgehangen, für den etwa Heinrich Bölls Erzählungen und Romane beispielhaft sind, so setzten sich mit der Zeit doch die differenzierteren Schreibweisen durch.

Auch die *Realisten,* die in der »Gruppe 47« lange Zeit in der Überzahl waren, sprachen in den Diskussionen (und votierten vermutlich bei der geheimen Wahl der Preisträger) oft für jene Texte, die einen moderaten Weg in die literarische Moderne wiesen: Martin Walsers Geschichten, Ilse Aichingers Prosa, Ingeborg Bachmanns Gedichte und ein Kapitel aus Günter Grass' »Blechtrommel« wurden in den fünfziger Jahren mit Preisen der »Gruppe 47« ausgezeichnet.

Ein für die literarische Praxis seiner Kollegen so wirkungsvoller Schriftsteller wie Helmut Heißenbüttel freilich, der zusammen mit Grass in die Gruppe kam und an ihren Tagungen ebenso regelmäßig seine sprachdemonstrativen Texte gelesen hat, bekam nie einen Preis – aber eben auch nicht Siegfried Lenz für seine dem Realismus nahe Prosa. Helmut Heißenbüttel hat einmal sehr anschaulich formuliert: Zieht man einen Querschnitt durch die Literatur der »Gruppe 47«, dann kommt die Prosa von Siegfried Lenz dabei heraus.

Der Selbstfindungsprozeß der westdeutschen Literatur war vielschichtiger, ihr Chor vielstimmiger, als er hier beschrieben werden kann. Damals hatte ja auch die Lyrik Gottfried Benns mit ihrem betörenden Klang Konjunktur – kaum ein jüngerer Dichter, der nicht von Benn infiziert worden wäre: Die bekanntesten Beispiele sind Peter Rühmkorf und Hans Magnus Enzensberger, die ihre Herkunft aus der Werkstatt dieses Sprachmagiers nie verleugnet haben, auch wenn sie sich dann ziemlich entschieden absetzten von dem im Grunde kulturpessimistischen, mit der europäischen Bildung jonglierenden Meisterpoeten der fünfziger Jahre. Peter Rühmkorf hat, in bewährt betörendem Bennschen Klang, schon damals sein Lied auf die grassierende Benn-Epigonie gesungen:

*Lied der Benn-Epigonen*

Die schönsten Verse der Menschen
– nun finden Sie schon einen Reim! –
sind die Gottfried Bennschen:
Hirn, lernäischer Leim –
Selbst in der Sowjetzone
Rosen, Rinde und Stamm.
Gleite, Epigone,
ins süße Benn-Engramm.

Wenn es einst der Sänger
mit dem Cro-Magnon trieb,

heute ist er Verdränger
mittels Lustprinzip.
Wieder in Schattenreichen
den Moiren unter den Rock;
nicht mehr mit Rattenscheichen
zum völkischen Doppelbock.

Tränen und Flieder-Möven –
Die Muschel zu, das Tor!
Schwer aus dem Achtersteven
spielt sich die Tiefe vor.
Philosophia per anum,
in die Reseden zum Schluß –:
So gefällt dein Arcanum
Restauratoribus.

15.

Hans Magnus Enzensberger hat sich von diesem typischen
Benn-Ton nicht lange beeindrucken lassen, denn er war
ein ebenso aufmerksamer Leser der Lyrik Bertolt Brechts –
eines Autors, der, wegen des Kalten Kriegs, in der westdeutschen Literatur der fünfziger Jahre kaum eine Rolle spielte.
Vor allem aber stand Enzensberger in der Tradition der gesamten europäischen Literaturmoderne, der er später sein
»Museum« eingerichtet hat.
    Wenn Wolfgang Koeppen der kritische Protagonist der
neuen Erzählliteratur dieser Zeit war, so muß man Hans
Magnus Enzensberger ihren lyrischen Protagonisten nennen.
Man kann sogar sagen, daß Enzensbergers frühe Gedichte in
ihrer Thematik, in ihrer formalen und inhaltlichen Radikalität und in ihrer poetischen Stichhaltigkeit große Ähnlichkeit
mit den Romanen Wolfgang Koeppens haben: Eines ihrer
zentralen Themen war die radikale Kritik gesellschaftlicher

Restauration und einer als gesteuert empfundenen Konsum-
hybris; formal zeigen sie sich beeindruckt von der sprachlichen Intensität Bennscher Lyrik, wandeln aber die magisch-
rauschhaften Effekte der Gedichte Gottfried Benns um in
erklärend-aufklärende Verfremdungseffekte: Wie in Koeppens montierter Prosa ist die poetische Topographie in der
Lyrik Enzensbergers facettenreich, werden die eingesogenen
Realitätspartikel in Widerspiegelung und Variation assozia-
tionsreich gemischt, verfremdet und zum kritischen Tanz
arrangiert.

1957 erschien Enzensbergers erster und bis heute aggressiv-
ster Gedichtband »Verteidigung der Wölfe«; darin steht auch
das Gedicht »Geburtsanzeige«:

Wenn dieses Bündel auf die Welt geworfen wird
die Windeln sind noch nicht einmal gesäumt
der Pfarrer nimmt das Trinkgeld eh ers tauft
doch seine Träume sind längst ausgeträumt
es ist verraten und verkauft

wenn es die Zange noch am Schädel packt
verzehrt der Arzt bereits das Huhn das es bezahlt
der Händler zieht die Tratte und es trieft
von Tinte und von Blut der Stempel prahlt
es ist verzettelt und verbrieft

wenn es im süßlichen Gestank der Klinik plärrt
beziffern die Strategen schon den Tag
der Musterung des Mords der Scharlatan
drückt seinen Daumen unter den Vertrag
es ist versichert und vertan

noch wiegt es wenig häßlich rot und zart
wieviel es netto abwirft welcher Richtsatz gilt
was man es lehrt und was man ihm verbirgt
die Zukunft ist vergriffen und gedrillt
es ist verworfen und verwirkt

wenn es mit krummer Hand die Luft noch fremd
                                                    begreift
steht fest was es bezahlt für Milch und Telefon
der Gastarif wenn es im grauen Bett erstickt
und für das Weib das es dann wäscht der Lohn
es ist verbucht verhängt verstrickt

wenn nicht das Bündel das da jault und greint
die Grube überhäuft den Groll vertreibt
was wir ihm zugerichtet kalt zerrauft
mit unerhörter Schrift die schiere Zeit beschreibt
ist es verraten und verkauft.

Enzensbergers Lyrik signalisierte eine grundsätzliche Veränderung des literarischen Sprechens auch für diese Gattung:
Das mystische Raunen und der bombastische Wortrausch
wurden abgelöst von der nüchternen Präzision aufklärerischer Einsprüche – und einem neuen, durch und durch kritischen Pathos.

16.

Es ist immer mißlich, weil ungerecht, wenn man, in unmittelbarer Zeitgenossenschaft stehend, Ursprung und Weg einer so vielschichtigen Sache, wie sie die Literatur nun einmal
ist, an einzelnen herausragenden Figuren zu beschreiben versucht; denn die Namen vieler Schriftsteller bleiben unge-
nannt, und erst Vielzahl und Verschiedenheit der Namen,
Werke und Stilrichtungen machen die Lebendigkeit der zeit-
genössisch erfahrenen Literatur aus. Und neben den genannten Exponenten der fünfziger Jahre wie Koeppen, Böll und
Enzensberger, in denen sich die moderne westdeutsche Literatur vorbereitete und individuell vorweg entwickelte, müssen auch andere Wege, die damals eingeschlagen wurden,
beachtet werden.

Hans Erich Nossacks Romane, frühe Auseinandersetzungen mit dem Erlebnis des Krieges und der Saturiertheit der Wohlstandsgesellschaft, übernehmen am entschiedensten den Existentialismus Camus' und beziehen mit der Zeit eine immer schärfer werdende gesellschaftskritische Position. Doch entfernen sich seine Figuren um so weiter aus der Gesellschaft, werden *exterritorial*, fallen also aus der Norm, die von der Gesellschaft jeweils gesetzt wird, je größer die in ihnen angelegte, oft religiös motivierte Hoffnung ist, den weltlichen, auch gesellschaftlichen Zwängen durch eine betonte Individualität zu entkommen.

Wolfdietrich Schnurre machte vor allem die Kurzgeschichte zum Medium seiner aufklärerischen Absicht: Oft satirisch und zuweilen mit makabrer Intensität fixierte er so die erfahrene Kriegs- und Nachkriegszeit. Die kleinen Erzählformen, derer sich Schnurre von Anfang an erfolgreich bediente, hatten für ihn ihren Sinn im Neuanfang, in der gewünschten und mehr imaginierten als faktisch vorhandenen *tabula-rasa*-Situation nach dem Zusammenbruch: um ganz von vorn zu beginnen, minutiös und am Detail. Damit wollte Schnurre im Alltäglichen eine neue literarische Ausdrucksweise zurückgewinnen, die von den Nazis pervertiert war; um Sprache also nach und nach, bruchstückhaft, wie ein Mosaik wiederherzustellen – so etwa läßt sich Schnurres *minima aesthetica* umschreiben.

Alfred Andersch versuchte mit seinem ersten erzählerischen Werk, dem autobiographischen Bericht »Die Kirschen der Freiheit« (1952), eine literarische Begründung seiner Desertion im Jahr 1944 und schlug damit bereits das Grundmotiv seiner Romane und Erzählungen an: die Flucht aus einengenden sozialen, persönlichen und ideologischen Bindungen – ob aus Mut oder letztlich doch aus einer Konsequenz von erklärbarer Angst, das bleibe hier unerörtert. Auch in dem damals hoch gerühmten Roman »Sansibar oder der letzte Grund« von 1957, dessen modernistische Stilformen freilich recht künstlich und aufgesetzt wirken und zumal in der Typisierung seiner Protagonisten nicht überzeugen, geht es um Vergangenheitsbewältigung, insbesondere wiederum für Andersch selbst; außerdem wird darin das andere große Thema dieses Schriftstellers verhandelt: die an Sartres Existentialismus angelehnte Auseinandersetzung um ideologische und künstlerische Freiheit und Determination.

Andersch galt seit seiner Schrift »Deutsche Literatur in der Entscheidung« von 1948 als wichtiger Theoretiker, der einer neuen deutschen Literatur an Sartre orientierte Maßstäbe setzte. Diese Rolle Anderschs wurde damals sicherlich ebenso überschätzt wie heute seine Bedeutung als Romancier, wohl nicht aber seine Rolle als Vermittler, ja Impresario der neuen Literatur und ihrer wichtigsten Schriftsteller: zuerst, zusammen mit Hans Werner Richter, als Herausgeber des »Ruf«, danach viele Jahre als Rundfunkredakteur und Herausgeber der Reihe »studio frankfurt« (1951 bis 1953) mit Publikationen von unter anderen Ingeborg Bachmann, Heinrich Böll, Wolfgang Hildesheimer, Wolfgang Weyrauch, Arno Schmidt und der Zeitschrift »Texte und Zeichen« (1955–1957, 16 Hefte).

Schon früh hat Arno Schmidt seine besondere und unverwechselbare Schreibweise gefunden und ist konsequent einen Weg gegangen, der ihn schließlich in eine geradezu beherrschende Außenseiterposition innerhalb der westdeutschen Literatur geführt hat. Seine vielen Erzählungen und Romane zwischen 1949 und 1957 – »Leviathan«, »Brand's Haide«, »Schwarze Spiegel«, »Aus dem Leben eines Fauns«, »Das steinerne Herz« und »Die Gelehrtenrepublik« – erhalten ihre Bedeutung im wesentlichen von ihrem formalen Darstellungsprinzip, wobei die sprachlich beabsichtigte Exaktheit identisch wird mit einer phonetischen Schreibweise, deren Erscheinungsform mitgedachte oder mitdenkbare, assoziierte oder assoziierbare Gedanken-, Zitat-, Bewußtseinspartikel sichtbar machen möchte. Auch Schmidt bezog deutsche Vergangenheit und Gegenwart in seine Themen und Stoffe mit ein, doch hat sein eigenwilliges Darstellungsprinzip eine breite Rezeption seines Werks in den fünfziger Jahren behindert.

## 17

Am Ende der fünfziger Jahre erreichte die Literatur der Bundesrepublik eine Blüte, die Ausdruck eines großen literarischen wie politisch-moralischen Selbstverständnisses war. In allen literarischen Gattungen erschienen bedeutende Werke, die dieses gewonnene Selbstverständnis der neuen westdeutschen Literatur vermittelten und die auf Jahre hinaus für die Literatur und ihre Kritik maßstabsetzend waren. In der Lyrik setzten sich im allgemeinen Bewußtsein Paul Celan, Karl Krolow und Marie Luise Kaschnitz und, aus der DDR in die Bundesrepublik wirkend, Johannes Bobrowski und Peter Huchel durch. Max Frisch und vor allem Friedrich Dürrenmatt schrieben jene wichtigen Stücke, die für einige Jahre Formen und Stoffe des Theaters bestimmten. Doch schon bald darauf entwickelte sich das dokumentarische Theater in Gegensatz und Widerspruch zum Illusionstheater Dürrenmatts und zum Parabelstück, wie es vornehmlich Max Frisch in der Schule Bertolt Brechts auf die Bühne gebracht hatte.

Eine Glanzzeit aber erlebte die Erzählliteratur: Günter Grass veröffentlichte 1959 den Roman »Die Blechtrommel«. Er entlarvte darin das immer noch fatalistisch als Pandämonium verstandene »Dritte Reich« als ein Resultat kleinbürgerlicher Inferiorität und bürgerlicher Sekurität und Feigheit, er reduzierte das Schicksalhafte, mit dem die nationalsozialistische Terrorherrschaft in nachträglicher apologetischer Interpretation versehen wurde, auf rationale Verflechtungen individueller und gesellschaftlicher Schuldkomplexe. Daß er zur Darstellung dieser rationalen Perspektive ausgerechnet den im Alter von drei Jahren das Wachstum verweigernden Oskar Matzerath, das »hellhörige« Kind wählte, erhöht nur die entlarvende Wirkung seiner vielschichtig angesetzten Erzählhaltung und machte die Auseinandersetzung mit der deutschen Vergangenheit ohne moralisierendes und politisierendes Raisonnement möglich.

Martin Walser publizierte 1960 den Roman »Halbzeit«, in dessen Mittelpunkt der Intellektuelle Anselm Kristlein steht. Mit Anselm Kristlein schuf sich Martin Walser eine Spielfigur, an der er die Zerrissenheit des modernen Menschen in viele Abhängigkeiten so demonstrieren konnte, wie er sie selbst als Bewohner der Bundesrepublik in einer konkurrierenden und egozentrischen Gesellschaft täglich erlebte – Dividualität, das war Walsers Schlagwort für die Befindlichkeit des Menschen, dem die Individualität abhanden gekommen ist. So beschrieb Walser in den ersten beiden Romanen der Kristlein-Trilogie – in »Halbzeit« und »Das Einhorn« (1966) –, noch ganz unter dem Einfluß Marcel Prousts stehend, bundesrepublikanische Realität mit einer geradezu besessenen Detailfreudigkeit.

Uwe Johnson schließlich, gerade aus der DDR nach West-Berlin umgezogen, machte als erster deutscher Schriftsteller die Teilung des Landes zum Thema: 1959 in »Mutmassungen über Jakob« und 1961 im »Dritten Buch über Achim«. In Johnsons facettenreicher Prosa erscheint die deutsch-deutsche Wirklichkeit vielfach gebrochen; keine Aussage war dem Autor stichhaltig genug, um nicht relativiert zu werden. Seine Prosa ist die skrupulöseste, vergleicht man sie mit der rabulistischen, so sichtbar selbstsicher zugreifenden »Blechtrommel«-Sprache von Günter Grass oder der atemlosen Suada von Martin Walsers »Halbzeit«; auf den schnellen Blick hin wirkt sie auch schwer zugänglich. Johnson versuchte, seinen intellektuellen Zweifel gegenüber der von ihm in den Blick genommenen Wirklichkeit mittels seiner Sprache auf den Leser zu übertragen; er wollte nicht überreden, sondern stets überzeugen von Vernunft und Anstand als Bedingungen einzig sinnvoller Existenz.

## II  Die Vision einer Zukunft
## oder *Die Politisierung des Literarischen*

### 1.

Die neue deutsche Literatur hatte fast fünfzehn Jahre gebraucht, um ihren Anschluß an die literarische Moderne
wiederzugewinnen, deren Fortwirken 1933 von den Nazis
brutal unterbrochen worden war. Dabei blieb für die Literatur in der Bundesrepublik die erst sich entwickelnde Literatur der DDR fast ganz außer Betracht und ohne Bedeutung:
Zwar wurde der Name Bertolt Brechts allmählich häufiger
genannt, doch seine Stücke wurden im Westen nicht eben
häufig gespielt, weil er der DDR-Literatur zugerechnet wurde, und auch die Romane Anna Seghers', der damals bedeutendsten Erzählerin in der DDR, blieben in Westdeutsch-
land eher an der Peripherie des allgemeinen literarischen
Bewußtseins, gar nicht zu reden von den zwischen 1959 und
1964 in der DDR erschienenen Romanen Dieter Nolls,
Erwin Strittmatters, Günter de Bruyns, Hermann Kants
und Erik Neutschs und den wichtigen Erzählungen Franz
Fühmanns. Lediglich Christa Wolfs 1962 erschienene große
Erzählung »Der geteilte Himmel« stieß auf merkliches Interesse in der Bundesrepublik, weil darin, für die DDR zum
ersten Mal, die Teilung Deutschlands das Thema war.

Christa Wolfs Erzählung erhielt ihre besondere Aktualität
durch die Geschichte: Am 13. August 1961, wenige Wochen
vor der Bundestagswahl, in der die CDU/CSU ihre 1957 auf
der Höhe der Restauration gewonnene absolute Mehrheit
im Bundestag verlor, wurde in Berlin durch den von der
DDR verfügten Bau der Mauer der letzte offene Verkehrs-
punkt zwischen Bundesrepublik und DDR geschlossen. Der
scharfen Ausgrenzungspolitik der Bundesrepublik gegenüber

der DDR setzte die DDR die faktische Abgrenzung beider Deutschlands entgegen und unterband gewaltsam die weitere Auszehrung ihres Wirtschaftspotentials, die mit der Flucht von Millionen DDR-Bürgern in die Bundesrepublik begonnen hatte. Die Berlin-Krise dieses Jahres war die schärfste Konfrontation in der Geschichte beider deutscher Staaten.

Sie hinterließ Spuren auch bei den Schriftstellern und war der Grund für das jahrelange Desinteresse an der DDR-Literatur in der Bundesrepublik und damit auch im westlichen Ausland: Offizielle Gespräche zwischen den Autoren beider deutscher Staaten wurden abrupt abgebrochen, westdeutsche Autoren, allen voran Wolfdietrich Schnurre, intervenierten gegen die Publikationen von Anna Seghers und Erwin Strittmatter in westdeutschen Verlagen; der überwiegende Teil westdeutscher Theater boykottierte die Stücke Bertolt Brechts (mit Ausnahme der Frankfurter Bühne, wo Harry Buckwitz Brecht häufig spielte und deshalb von der Presse nicht selten angegriffen wurde). Nur wenige Schriftsteller blieben besonnen und versuchten, mit ihren Kollegen in der DDR in Verbindung zu bleiben – Günter Grass verglich am 14. August 1961 in seinem Offenen Brief an Anna Seghers die damalige Vorsitzende des DDR-Schriftstellerverbandes mit Gottfried Benn, der Anfang 1933 sein Treuebekenntnis zum nationalsozialistischen Staat öffentlich abgegeben hatte, und hielt ihr die unaufhebbar ausweglose Lage der Menschen in der DDR vor Augen: »Heute ist es gefährlich, in Ihrem Staat zu leben, ist es unmöglich, Ihren Staat zu verlassen.«

In dieser Situation mußte eine Erzählung wie »Der geteilte Himmel« von Christa Wolf trotz ihrer literarischen Konventionalität allein wegen ihres Themas Aufmerksamkeit erregen – als habe sich in der DDR eine Stimme erhoben, um über die Mauer hinweg an Gemeinsames zu erinnern. Es hat damals auch viele westdeutsche Interpreten gegeben, die im Buch der Christa Wolf eine, wenn auch geringe, Opposition der jungen Schriftstellerin gegen die offizielle Politik der DDR erkennen wollten. Es begann, was die westdeutsche Literaturkritik bis zum Ende der DDR charakterisierte, wenn sie sich mit DDR-Literatur befaßte: Ihre Bücher wurden als Seismographen für politische Abweichungen abgelesen und waren vor allem als solche interessant.

2.

Viele Schriftsteller der »Gruppe 47« stimmten damals nicht in den allgemeinen Boykott der DDR-Literatur ein, obgleich auch sie bei ihren DDR-Kollegen scharf gegen die Einsperrungspolitik der DDR protestierten. Aber sie wollten sich nicht für die Kalte-Kriegs-Politik der Bundesregierung instrumentalisieren lassen und sich auf die Kritik des anderen Deutschland beschränken, wo doch auch im eigenen Land, das unter Adenauer patriarchalisch und autoritär regiert wurde, vieles zu verbessern war. So versuchten einige von ihnen, erstmals mit Blick auf die Bundestagswahl 1961, also schon vor dem Mauerbau, die politisch-moralische Haltung der nonkonformistischen Literatur, die sie schrieben, durch öffentliche Parteinahme und aktive Unterstützung der oppositionellen sozialdemokratischen Partei in politisches Handeln umzusetzen. Der *bloß* literarische, moralisierende Nonkonformismus begann sich durch das Eingreifen der Schriftsteller in die politische Praxis aufzulösen – das schienen Ansätze zu sein, aus denen, wie eine neue Generation von Intellektuellen glaubte, sich eine politische Verbindlichkeit auch für die Literatur (und nicht nur für den Schriftsteller als Staatsbürger) entwickeln ließe.

Auf literarischem Feld wurde damals schon erkennbar, was auf politischem Feld mit der Zeit virulent wurde: daß nämlich die Restauration eines autoritären kapitalistischen Materialismus mit sozialstaatlichen Ansätzen für die Entwicklung einer modernen Gesellschaft nicht genügte. Auch die mangelhafte Lösung sich stauender Aufgaben (zum Beispiel in der Bildungspolitik und in der gesellschaftlichen Infrastruktur, aber auch in der Stärkung der demokratischen Institutionen) und die Verdrängung sozialer Probleme sowie die harte politische Abgrenzung gegenüber dem Ostblock – die politische Unbeweglichkeit und Reformunfähigkeit charakterisierte eine Regierung, deren Ablösung schon damals überfällig war. Der Machtwechsel in Bonn folgte zwar erst Jahre später, doch die nonkonformistische Literatur der Bundesrepublik hatte die im Land sich ausbreitende Stimmung, die den Wechsel schließlich bewirkte, ihren Lesern schon lange zuvor ins Bewußtsein geschrieben.

Deshalb geht es nicht an, den Schriftstellern, wie später in den aufgeregten Kommentaren der ApO-Generation (z. B. in »konkret«) zuweilen zu lesen war, nachträglich vorzuwerfen, entweder sie seien vor einer ungewünschten Wirklichkeit in die *reine Literatur* (so es die überhaupt gibt) geflohen oder hätten ihre Literatur, weil sie sich für die SPD einsetzten, *sozialdemokratisiert.* Zutreffender ist, daß in den fünfziger Jahren die Zeit für demonstratives politisches Handeln der damals jungen Generation noch nicht reif war, daß aber gerade die damals entstehende nonkonformistische Literatur nicht nur die Stimmung im Land, sondern auch die politischen Aktionen der nachfolgenden Generation in der zweiten Hälfte der sechziger Jahre denkbar gemacht und sogar vorbereitet hat. Mir geht es hier nur darum, das Entstehen der nonkonformistischen Literatur aus den historischen Bedingungen, dem politischen und geistigen Raum ihrer Herkunft, zu erklären. Die Mittel des Schriftstellers sind nun einmal Sprache und Sensibilität, kritische und antizipierende Phantasie, und entscheidend ist nicht, welcher tagespolitischen Aktion sich ein Autor verbindet, sondern welche Spur antizipatorischen Wirkens sein Werk in der Geschichte, aber eben doch auch nicht nur in der Geschichte der Literatur, hinterläßt: jenseits von Elfenbeinturm und »Gesinnungsästhetik«.

Man sollte also die Wirksamkeit von Literatur in der Wirklichkeit nicht überschätzen, von ihr unmittelbare politische Wirkungen nicht erwarten. Jene, die später den *Tod der bürgerlichen Literatur,* also gerade auch den Tod der neuen deutschen Literatur verkündeten, hegten zunächst solche kurzschlüssigen Hoffnungen. Doch ebenso fehlgedacht wie diese Hoffnungen waren die Todeserklärungen; denn nach wie vor erfreute sich die Literatur, die man als bürgerliche beschimpfte, noch bester Gesundheit. Eigentlich sind vermeintliche Krisen der Literatur das erste und beste Anzeichen dafür, daß etwas in Bewegung geraten ist. Und sind Bewegung, Veränderung, die stetige Überprüfung der gerade erreichten Positionen nicht das unabdingbare Korrelat einer lebendig bleibenden Literatur? Und, notabene, einer lebendig bleibenden Politik? Sie sollten charakteristisch werden für die späten sechziger Jahre.

Tatsächlich aber gab es seit ihrem Beginn auch Anzeichen dafür, daß die gerade üppig erblühte junge deutsche Literatur in Stagnation geriet und ihre Autoren repräsentativ sich zu spreizen begannen: als nämlich die »Gruppe 47«, um ihre internen Tagungen abzuhalten, ins Ausland reiste; 1964 nach Sigtuna in Schweden, 1966 nach Princeton in die USA, zu einer Zeit also, da die USA in Vietnam bereits Krieg führten. Martin Walser, der sich zu der Zeit schon von der Gruppe zurückgezogen hatte, nannte solches Gebaren seiner Schriftstellerkollegen spöttisch »literarische Weltmeisterschaft«. Er – und mit ihm mancher andere Kritiker – hatte richtig erkannt, daß die so beschaffene Selbstdarstellung eines zugegeben wesentlichen Teils westdeutscher Literatur die andere, nämlich die Nicht-Gruppe-47-Literatur entweder unberechtigterweise mitvertrete oder aber ignoriere und daß dieses Verhalten bar jeder selbstkritischen Einschätzung war: herrschaftliche Anmaßung.

Die medienwirksame Ritualisierung der »Gruppe 47«-Tagungen, mit deren Literatur schließlich die deutsche Gegenwartsliteratur identifiziert wurde, hat zur Kritik der dann verächtlich so genannten *bürgerlichen Literatur* in der Bundesrepublik ebenso beigetragen wie die 1967 beginnenden demonstrativ-demokratischen Regungen der wiederum jüngeren Generation, deren immer blinder werdender Aktionismus in kurzer Zeit mehr politischen Effekt zu machen schien als die gesamte nonkonformistische Literatur in den vorangegangenen zwanzig Jahren. Die Kritik dieser neuen Generation richtete sich nun auch gegen diese nonkonformistische Literatur. Wie diese selbst gegen die Erstarrung der politischen Restauration angeschrieben hatte, so wandten sich nun die jungen Schriftsteller gegen die onkelhaft repräsentative Erstarrung der Literatur. Sie rieben sich nun daran, woran sie sich gebildet hatten – ein Vorgang von geradezu faszinierender Normalität: Die jungen Schriftsteller attackierten die alten, die zu klassischer Größe zu schrumpfen drohten.

Peter Handke griff in Princeton die gesamte »Gruppe 47« wegen ihrer »Beschreibungsimpotenz« an. Hans Mayer als einziger in der Gruppe nahm den Fehdehandschuh auf und antwortete auf diesen Angriff. Zwar verwarf er Handkes Argumentation, zeigte aber Verständnis für dessen grundsätzliches Unbehagen angesichts einer Prosa, die zum Stilleben degeneriere – was ihm Hans Werner Richter nie verziehen hat, der Grundsatzdebatten in der Gruppe deshalb nie zugelassen hatte, weil sie das Ende der »Gruppe 47« bedeutet hätten.

Handkes Attacke war nicht der Grund, aber ein erstes Signal für das Ende der »Gruppe 47«. Sie verschied im zwanzigsten Jahr ihrer Existenz.

3.

Ein letztes Mal kamen ihre Schriftsteller noch zusammen: 1967 in der Pulvermühle in Waischenfeld bei Erlangen. Aber ihre Tagung dort wurde bereits gestört von Studenten, die die »Gruppe 47« als Papiertiger verächtlich machten, weil Hans Werner Richter sich mit ihnen auf keine politische Diskussion einlassen wollte. Die Autoren der Gruppe selbst waren uneins: Gräben verliefen zwischen jenen, die so weitermachen wollten wie bisher, und jenen, die, wie Erich Fried, die Gruppe verändern oder, wie Martin Walser schon früher gefordert hatte, »sozialisieren« wollten. Dennoch lachten sie noch einmal – über einen Text von Günter Eich mit dem Titel »Hausgenossen«:

»Was mir am meisten auf der Welt zuwider ist, sind meine Eltern. Wo ich auch hingehe, sie verfolgen mich, da nützt kein Umzug, kein Ausland. Kaum habe ich einen Stuhl gefunden, öffnet sich die Tür und einer von beiden starrt herein, Vater Staat oder Mutter Natur. Ich werfe einen Federhalter, ganz umsonst. Sie tuscheln miteinander, sie verstehen sich. In der Küche sitzt der Haushalt, bleich, hager und verängstigt. Er ist auch ekelhaft, manchmal tut er mir leid. Er ist nicht mit mir verwandt, aber er ist nicht wegzubringen.

Eine halbe Stunde habe ich Freude an Literatur. Die Kinks, denke ich, sind so viel besser als die Dave Clark Five. Aber plötzlich kommt sie wieder, mit blutverschmiertem Mund, und zeigt mir ihr neues Modell. Alles zweigeteilt, sagt sie, ein Stilprinzip, Männchen und Weibchen. Fällt dir nichts besseres ein, frage ich. Tu nicht so, alter Junge, sagt sie. Hier, die Gottesanbeterin. Während sein Hinterleib sie begattet, frißt sie seinen Vorderleib. Pfui Teufel, Mama, sage ich, du bist unappetitlich. Aber die Sonnenuntergänge, kichert sie.

Ich versuche, mich zu beruhigen, und will meine Bakunin-Biographie um ein paar Zeilen weitertreiben. Da hat dich der Marx aber ganz schön fertiggemacht, Michael Alexandrowitsch, sage ich laut, und schon steht Papa im Zimmer. Er fieselt an einem Rekrutenknochen. Ich ziehe unter seinem mißtrauischen Blick den Staatsanzeiger über mein Manuskript. Du singst zuwenig, sagt er, und ich merke erst, als er wieder draußen ist, daß er mein Portemonnaie mitgenommen hat.

In der Küche weint der Haushalt ohne Hemmung. Ich mache die Augen zu, stopfe mir die Finger in die Ohren. Mit Recht.«

Die Kritik, die nach der Lesung in der Gruppe an diesem Text geübt wurde, war symptomatisch für die Zeit, in der soviel in Bewegung geraten war: Den einen erschien er als zu poetisch, den anderen als zu politisch. Marcel Reich-Ranicki ebenso wie Günter Grass konnten »mit dieser Art von Literatur« gar nichts anfangen. Günter Eich saß damit zwischen allen Stühlen, die gerade Mode waren, und da saß er genau richtig. Denn dieser Text ist einer jener von Eich erfundenen »Maulwürfe«, die gegen die platte Politisierung der Literatur geschrieben waren und zugleich Zweifel anmeldeten gegenüber einer Literatur, die sich nur dem schönen Schein hingab, ohne ihren historischen und gesellschaftlichen Ort zu reflektieren. Eich gelang in vielen seiner »Maulwürfe«, die er bis zu seinem Tode 1972 fortgeschrieben hat, beides: Er traf politische und gesellschaftliche Situationen mit vielschichtig raffinierten Texten genauer als die Plakatierer der politischen Gesinnung und radikaler als die unverbindlichen Naturbewisperer. Er traf sie gleichsam an ihrem blinden Fleck und an einem vorrationalen Punkt. Daß die meisten Autoren der »Gruppe 47« kein Verständnis für diese subversive Ästhetik aufzubringen vermochten, obgleich sie sich darüber doch vor Lachen bogen, ist sicherlich auch ein Symptom dafür, daß sich die Gruppe inzwischen überlebt hatte.

4.

Es ist, von heute aus, kaum zu bestreiten, daß das Ende der »Gruppe 47« genau zwanzig Jahre nach ihrer Gründung auch das Ende einer literarischen Epoche besiegelt: das Ende der noch unter dem Eindruck von Kriegs- und Nachkriegszeit geschriebenen nonkonformistischen Literatur. Ihr avantgardistischer Impuls war in erster Linie moralischer und erst in zweiter Linie formaler Natur gewesen, und er war es wohl auch noch, als diese Literatur zu Anfang der sechziger Jahre auch auf dem literarischen Markt erfolgreich wurde. Doch nun bestimmte diese Literatur mit ihren mittlerweile eingebürgerten und akzeptierten Schreibweisen den literarischen *status quo*. Schriftsteller wie Böll, Grass, Enzensberger, Walser und Johnson – um nur die bekanntesten zu nennen – übertrafen ihre bis 1960 erschriebenen thematischen und ästhetischen Positionen im darauf folgenden Jahrzehnt nicht mehr mit literarischen Innovationen – die kamen, wenn überhaupt, erst nach den gesellschaftlichen Bewegungen der späten sechziger Jahre.

Günter Grass ergänzte gleichsam die »Blechtrommel« (1959) mit der Novelle »Katz und Maus« (1961) und dem Roman »Hundejahre« (1963) zur »Danziger Trilogie«: Auf ähnliche Weise arbeitete er darin Komplexe der Schuld im Kleinbürgertum des Dritten Reichs und ihrer Fortsetzung in der zweiten Republik auf. Seine Figuren Oskar Matzerath, der große Mahlke, Tulla Prokriefke, Eddi Amsel und Walter Matern sehen die Geschichte vom unteren Rand der Kleinbürger-Existenz: eigenwillig, selbstherrlich und grotesk. Mit »Örtlich betäubt« von 1969 löste sich Grass von dieser Perspektive des außergewöhnlich Erzählten und wandte sich der Normalität der bundesrepublikanischen Gesellschaft zu. Auch im »Tagebuch einer Schnecke« (1972), das zwar wieder den Bogen zurück in die Geschichte spannt und auf einer zweiten Ebene die Geschichte der Danziger Juden erzählt, schilderte Grass unmittelbar erlebte Gegenwart: seine Erfahrungen im Wahlkampf für die SPD. Erst mit dem »Butt« (1977) zog der phantasievolle und genau recherchierende Erzähler seine Leser wieder in den Bann einer nun grenzenlosen Fiktion und zugleich in den konkreten Raum seiner wirklichkeitssatten Geschichten.

Auch Heinrich Böll zog 1959 in »Billard um halb zehn« und 1963 in den »Ansichten eines Clowns« erneut kritische Bilanz aus der deutschen Geschichte der ersten Jahrhunderthälfte und ließ den intellektualistischen Clown Hans Schnier über die Unzulänglichkeit der lernunwilligen bundesrepublikanischen Gesellschaft und das Pharisäertum ihres leitenden, gerade auch klerikalen (katholischen) Personals räsonieren. In Erzählungen wie »Entfernung von der Truppe« (1964) und »Ende einer Dienstfahrt« (1966) näherte er sich der deutschen Gegenwart wiederum satirisch: Er nahm die Kunstform des Happenings auf und versuchte, die politischen Verkrustungen der Zeit eulenspiegelhaft aufzubrechen. Auch sein Roman »Gruppenbild mit Dame« (1971), für den er den Nobelpreis bekam, ist nicht Neuerung, sondern Summe seines Schreibens bis dahin. Das Buch spielt zu Beginn der siebziger Jahre und geht zurück auf Vorkriegs- und Kriegszeit: Ein »Verf.« genannter Erzähler sammelt Informationen, die nie sicher sind und das Bild der Dame in der Gruppe der Männer, Leni Pfeiffer, changieren lassen. Umfassender als zuvor ist – so allgemein das, wie häufig bei Böll, klingen mag – auch in diesem Roman die Menschlichkeit das zentrale Thema: als Widerstandspotential gegen die Unmenschlichkeit von Technokratie, Terrorismus, faschistischer und klerikaler Dummheit und Grausamkeit. Die Kritik hat den Roman etwas märchenhaft und abseits von der Wirklichkeit genannt – nicht zu Unrecht: Er ist ein Gegenbild zu ihr. Und Böll hat sich auch darauf berufen, eine Art Legenden- und Märchenerzähler zu sein: um Gegengewichte zur realen Welt und ihren zerstörerischen Verläufen zu setzen.

Martin Walser schrieb 1966 mit dem »Einhorn« seine »Halbzeit« von 1960 fort: In beiden Romanen findet sich der kleinbürgerliche Intellektuelle Anselm Kristlein in der kalten Konkurrenzwelt, in der Ellenbogengesellschaft der Bundesrepublik, nicht zurecht. Und auch noch im letzten der zur Trilogie gewachsenen Romane – »Der Sturz« von 1973 – geht es wieder um Kristlein: einen zerstörten Menschen, der schließlich aus der Welt flieht und – auch hier, wie bei Böll, etwas märchenhaft – »mit dem Segelschiff über die Alpen« verschwindet; ob er stirbt oder nur untertaucht, bleibt offen. Walser hat sich am entschiedensten den gesellschaftlichen Veränderungen und Einflüssen, die dann von der Studentenbewegung ausgingen, unmittelbar und konkret ausgesetzt. Er hat sich 1972 mit Josef Georg Gallistl in der »Gallistlschen Krankheit« eine neue Spielfigur erfunden, die für ihn in der veränderten Zeit nach einer neuen politischen Orientierung, nach einer »neuen Parteilichkeit« suchen sollte. Doch hat er diesen Ansatz, weil er wenig erfolgreich war, nicht fortgeführt. Erst nach 1975 hat Walser dann zu jenen Erzählstoffen und -formen gefunden, die er bis heute traktiert; und er hat seine überschäumende intellektualistische Rhetorik gebändigt, sein atemlos hastendes Erzählen diszipliniert: erstmals in der sehr erfolgreichen, ruhig und klar erzählten, aber auch etwas klassizistisch anmutenden Novelle »Ein fliehendes Pferd« (1978).

Schließlich Uwe Johnson. Er setzte sich nach den »Mutmassungen über Jakob« (1959) und dem »Dritten Buch über Achim« (1961) in »Zwei Ansichten« (1965) auf seine typische Weise wiederum mit der deutsch-deutschen Teilung auseinander. Er hat erst mit seinen »Jahrestagen«, deren erste drei Bände zwischen 1970 und 1973 erschienen sind, einen grandiosen neuen literarischen Ansatz unternommen, der zu einem der bedeutendsten Werke der deutschen Literatur im 20. Jahrhundert geführt hat: Johnson collagiert Erfundenes und Erfahrenes, kombiniert Zeit- und Stilebenen und stellt Vergangenheit und Gegenwart hart nebeneinander, schafft so eine intellektuelle Atmosphäre, in der Nähe und Ferne oszillieren. In ihr fließen erinnertes Leben in Mecklenburg zur Nazi- und DDR-Zeit mit Alltagserfahrungen aus New York zusammen, findet eine gründliche Auseinandersetzung mit westlichen Kultur- und Zivilisationsphänomenen statt.

Diese Autoren, die zu den wichtigsten der »Gruppe 47« gehörten und nachdrücklich jenen literarischen Nonkonformismus vertraten, der die am Ende der fünfziger Jahre erwachsen gewordene neue deutsche Literatur charakterisierte, schrieben vorerst auf ihren erreichten Positionen weiter, wiederholten sich während der sechziger Jahre in ihren Stoffen, Themen und Schreibweisen, entwickelten neue Ansätze erst in den siebziger Jahren. Aber auch andere Schriftsteller führten, jeder auf seine persönliche Weise, ihre erfolgreichen Schreibprogramme fort.

Hans Erich Nossack vermehrte in dem »Bericht« »Nach dem letzten Aufstand« (1961) bis zum »Fall d'Arthez« (1968) sein »exterritoriales« Figurenensemble, das jegliche Ideologie kritisiert, freilich auch immer mehr der gelebten Wirklichkeit der Zeitgeschichte entfremdet wird. – Alfred Anderschs Romane »Die Rote« (1960, Neufassung 1972) und »Efraim« (1967) setzten sich, indem sie ihre Folgen in der Gegenwart entfalten, wiederum mit deutscher Vergangenheit auseinander, blieben aber hinter dem literarischen Anspruch, den ihr Autor mit ihnen verband, weit zurück – auch hier Fortsetzung des vom thematischen und psychischen Komplex der Desertion intendierten Werks, das seinen ehrgeizigen, freilich mißlungenen Abschluß mit dem Roman »Winterspelt« (1974) gefunden hat. – Paul Celan und Karl Krolow, aber auch Marie Luise Kaschnitz und Ilse Aichinger wuchsen in den sechziger Jahren langsam und fast unauffällig zu jenen Klassikern der Moderne heran, als die sie heute in allen Lesebüchern zu finden sind. – Ingeborg Bachmann demonstrierte in den sieben Erzählungen in »Das dreißigste Jahr« (1961), wie das Individuum gegen die eigene gewonnene Selbstgewißheit zu revoltieren vermag. – Und Max Frisch führte seine alte Problematik der Identitätssuche auf eine neue Stufe in dem Roman »Mein Name sei Gantenbein« (1964) – dem Ingeborg Bachmann mit »Malina« (1971) dann antwortete. – Friedrich Dürrenmatt schrieb in den sechziger Jahren seine letzten erfolgreichen Stücke: »Die Physiker« (1962) und »Der Meteor« (1966), bevor er sich in den siebziger Jahren immer mehr seinen großen und unverwechselbaren diskursiven Prosabüchern zuwandte: »Der Mitmacher-Komplex« (1976), »Zusammenhänge. Essay über Israel« (1976) und das Projekt der ›Stoffe‹.

Arno Schmidts »Kühe in Halbtrauer« (1964) sind das letzte wichtige Prosawerk vor seinen umfangreichen Typoskript-Werken. Noch immer aber gilt, daß Schmidt der wohl markanteste literarische Außenseiter der Nachkriegsliteratur war, der keine Nachahmer, wohl aber eine Lese- und Interpretationsschülerschaft gefunden hat, die sich im »Bargfelder Boten« 1972 ein Organ zur Dechiffrierung Arno Schmidtscher Vieldeutigkeit schuf. Strittig dürfte dennoch sein, ob Schmidt ein singulärer Schriftsteller von außerordentlichem Format war oder ob seine Attitüde der Isolation ebenso wie der Schreibweise nicht nur vor dem Hintergrund des etablierten Literaturbetriebs werbewirksam als überdimensionierte Größe erscheint. Ein Spezifikum der deutschen Nachkriegsliteratur ist er in jedem Falle, auch wenn die Dichte, die Schmidts Romane und Erzählungen der fünfziger Jahre auszeichnet, später der oft nur noch äußerlichen Monstrosität gewichen ist, die – gedeckt oder ungedeckt, das wage ich hier und jetzt nicht zu entscheiden – bereits für Größe genommen wird.

Wolfgang Koeppen schließlich begann sein anhaltendes Schweigen als Erzähler; er hat erst 1976 den faszinierenden Prosatext »Jugend« veröffentlicht.

## 5.

In den sechziger Jahren zeigte sich die Literatur vielseitig und selbstbewußt. Tagungen der »Gruppe 47« waren öffentliche Jahresereignisse, Literaten wurden prominent: Während zum Beispiel beim Erscheinen der »Blechtrommel« noch Teile der literarischen Kritik und die sozialdemokratischen Stadtväter Bremens sich wegen der Verletzung sexueller Tabus empört hatten, wurde schon 1963 auf einer Lesereise der Autor der »Hundejahre«, dessen öffentliche Auftritte vom Fernsehen übertragen wurden, zum gefeierten Star. Doch weniger die aufklärerische Essenz seiner Literatur als die Prominenz des zum literaturbetriebswirksamen vitalen Original stilisierten Günter Grass erzielte Wirkung. Dies als

Symptom für eine Transformation des langwierig entstehenden literarischen Ruhms in die quicke Personalisierung der Literatur durch ihre bewußt in die Öffentlichkeit hineinwirkenden Autoren, die sich in den achtziger Jahren schließlich endgültig durchgesetzt hat; gesellschaftliche Wirkung ist damit allerdings kaum mehr verbunden. Damals war das Fernsehen noch nicht zu jener geistzerstreuenden und -tötenden Macht verkommen, die das kritische Bewußtsein wo nicht zerstört, so doch einschläfert.

Aber damals wurde auch schon deutlich, daß die Literatur die Zustände, die sie kritisch beschrieb, nicht veränderte. Auf der Höhe ihres Erfolgs verlor sie zunehmend ihre aus der Verpflichtung auf die Bewältigung der Vergangenheit gewachsene Rolle als oppositionelle engagierte Avantgarde. Die Bücher ihrer Stars standen bald auf den Bestsellerlisten, ihre Literatur wurde ein Phänomen auch des Marktes in einer wirtschaftlich stabilisierten und politisch erstarrten Gesellschaft, der eine kritische Literatur nicht nur nichts anhaben konnte, sondern die kritische Literatur nun als Ausweis ihrer Liberalität geradezu brauchte. Diese Literatur hatte sich in der neuen Gesellschaft etabliert.

Manche erkannten darin die Krise jenes Realismus, der sich nach 1945 mit den Spielarten *Kahlschlagrealismus – magischer Realismus – kritisch-satirischer Realismus* entwickelt hatte. Als Peter Handke 1966 die »Gruppe 47« in Princeton attackierte, zielte seine Kritik auf diese Art des bloßen *Beschreibungs-Realismus*, der sich, ästhetisch auf unterschiedliche Weise, nur noch an der Oberfläche der Wirklichkeit orientiere, das Bewußtsein der Leser nicht aufbreche, sondern bestätige und deshalb als Literatur konventionell geworden sei: »Ich bemerke, daß in der gegenwärtigen deutschen Prosa eine Art Beschreibungsimpotenz vorherrscht. Man sucht sein Heil in einer bloßen Beschreibung, was von Natur aus schon das billigste ist, womit man überhaupt nur Literatur machen kann. Wenn man nichts mehr weiß, dann kann man immer noch Einzelheiten beschreiben. Es ist eine ganz, ganz unschöpferische Periode in der deutschen Literatur doch hier angebrochen, und dieses komische Schlagwort vom ›Neuen Realismus‹ wird von allerlei Leuten ausgenützt, um doch da irgendwie ins Gespräch zu kommen, obwohl sie keinerlei Fähigkeiten und keinerlei schöpferische Potenz zu irgendeiner Literatur haben. Es wird überhaupt keinerlei Reflexion gemacht.«

Und von Alexander Kluge kam damals die Erkenntnis: »*Das Motiv für den Realismus ist nie Bestätigung der Wirklichkeit, sondern Protest.* (…) Die Anerkennung des Realismus des Protests und des Realismus des auf die Wirklichkeit umformend reagierenden menschlichen Hirns (…) ist die Grundbedingung des Realismus.«

Ähnlich propagierte um das Jahr 1965 auch Dieter Wellershoff, damals Lektor in Köln, sein skeptisches Realismus-Programm, das gegen jede allgemeine und umfassende ideologische Welt-Interpretation opponierte und dagegen den »sinnlich konkreten Erfahrungsausschnitt, das gegenwärtige alltägliche Leben, die pathologische oder kriminelle Abweichung vom Mehrzahlverhalten« stellte – zweifellos eine literarische Konzeption, die ohne das französische Vorbild des *nouveau roman* nicht zu denken ist. Zu Wellershoffs »Kölner Schule des Neuen Realismus« gehörten Schriftsteller wie Nicolas Born mit seinem 1967 erschienenen Gedichtband »Marktlage«, Rolf Dieter Brinkmann mit seinem Roman »Keiner weiß mehr« (1968), Günter Herburgers Erzählungen »Eine gleichmäßige Landschaft« (1964), Günter Seurens Romane »Das Gatter« (1964) und »Lebeck« (1966) und Günter Steffens’ Roman »Der Platz« (1965). All diese Bücher sind im Verlag Kiepenheuer & Witsch erschienen – Wellershoffs Realismuskonzept war das Programm seines Lektorats, dem er selbst, als Autor, freilich nur bedingt gefolgt ist; er hat Romane und zahlreiche Essays geschrieben, deren psychologisierende Interpretationen der sozialen Wirklichkeit mit sprachlicher Genauigkeit gerecht werden.

Eine neue Schriftstellergeneration meldete sich zu Wort, der die Formen, aber auch die Inhalte der neuen deutschen Literatur nicht mehr genügten.

Zum Beispiel Christian Geissler, der schon früh die radikale Forderung nach gesellschaftlicher Umsetzung der in Literatur gefaßten moralischen Erkenntnis gestellt hat: 1950, mit dem Roman »Anfrage«, durchaus zeitgemäß in die deutsche Vergangenheit hinein fragend, noch unter existentialistischen Vorzeichen und pessimistischer Erkenntnis; dann aber, 1965 mit dem Roman »Kalte Zeiten« und zwei Jahre später den Erzählungen in »Ende der Anfrage«, mit realistisch erzählter Kritik an den menschenverachtenden kapitalistischen Konditionen der kleinbürgerlichen Wohlstandswelt, einer unerbittlich formulierten Kritik, die aber dennoch auf rationale Einsicht setzt. In dem Roman »Das Brot mit der Feile« (1973) wird Geissler die moralische Kritik an der kapitalistischen Gesellschaft in eine an Marx geschulte materialistische Analyse überführen und seinem Personal in dem Roman »Wird Zeit, daß wir leben« (1976) zu solidarischem Verhalten verhelfen – zu einer Zeit freilich, da der lange Abschied von der Illusion einer linken politischen Praxis, nicht zuletzt unter dem Eindruck des Terrorismus, bereits begonnen hatte.

Zum Beispiel Gisela Elsner, deren Roman »Die Riesenzwerge« 1964 eine erhebliche Wirkung hatte, weil er unverblümt und konkret, mit deutlich antibürgerlichem Affekt seinen Ekel vor der Gesellschaft, genauer: vor den doppeltmoralischen bürgerlichen Verhältnissen artikulierte. In ähnlicher Manier, die dem kalten Blick des *nouveau roman* nahe war, aber – der erste Effekt ihres Schreibens war vorbei – mit immer geringerer Wirkung denunzierten auch die folgenden Romane Gisela Elsners die einmal ins Visier genommene Kleinbürgerwelt: 1968 »Der Nachwuchs« und 1970 »Das Berührungsverbot«. Das Muster, dem sie seither nachschrieb, erstarrte zunehmend.

Zum Beispiel auch Gabriele Wohmann; sie hatte in Erzählungen – herausragend: »Die Bütows« von 1967 und »Ländliches Fest« von 1968 – und Romanen – »Abschied für länger«, 1965, und »Ernste Absicht«, 1970 – die bürgerlichen Alltagsverhältnisse aus ebenfalls unerbittlicher Perspektive gezeichnet und seziert, so daß ihr die Kritik einen »bösen literarischen Blick« attestierte. Freilich zeigte sich auch bei ihr, daß die Muster solchen Realismus' nicht beständig wiederholt werden können; sie nutzten sich ab, wurden bei ihr zu beliebig einsetzbaren *patterns*, produzieren eine Literatur, die nur noch unbefragt den einmal erschriebenen Vorstellungen von Erzählwelt folgt, sich nicht mehr fragend und gleichsam ungeschützt der Wirklichkeitserfahrung aussetzt. Gabriele Wohmann hat bis zum gegenwärtigen Zeitpunkt nach solchem Muster eine kaum noch überschaubare Anzahl von Erzählungen und Romanen geschrieben, die mit wenigen Ausnahmen – 1975 »Schönes Gehege«, 1980 »Ach wie gut, daß niemand weiß« – in Stil und Thema verwechselbar sind.

Aber damals, zu Beginn der sechziger Jahre und bis zu ihrer Mitte, bevor noch der Ruf nach der politischen Aktivierung des ›bloß‹ literarischen Reagierens auf die Wirklichkeit laut wurde – damals haben Schriftsteller wie Alexander Kluge, Christian Geissler, Gisela Elsner, Gabriele Wohmann und andere mit ihrem Schreiben gesellschaftliche Veränderungen wahrgenommen und markiert, die schließlich zum Ende einer literarischen Epoche führten: zum Ende der Nachkriegsliteratur und der sie begleitenden »Gruppe 47«.

Daß zu dieser Zeit auch die »Gruppe 61« mit Schriftstellern wie Max von der Grün – »Irrlicht und Feuer«, 1963 – und Josef Reding und später auch Günter Wallraff Einfluß gewann, die zwar nicht neue Formen, aber neue Themen – industrielle Arbeitswelt und die Lebenswelt der Arbeiter – in die Literatur hineintrugen, sei nur am Rande als ein weiteres Symptom dafür vermerkt, daß die Grenzen der etablierten Literatur mehr und mehr als zu eng erkannt wurden. Aber auch diese Literatur blieb im Nachvollzug naturalistisch-realistischer Schreibprogramme und traditioneller Erzählmuster stecken, entwickelte keine neue Ästhetik und kaum neue gesellschaftliche Perspektiven: Ihre Literatur nahm nicht *neu*, sondern *anderes* wahr als die inzwischen etablierte neue deutsche Nachkriegs-Literatur, jene »Gruppe 47«-Literatur, gegen die sich die neue »Gruppe 61« bewußt auch richtete.

## 6.

Ein radikaler Versuch, diese Grenzen der zum *status quo* erkaltenden Literatur zu sprengen, war der *Dokumentarismus*. Er erhob den Anspruch, mit seinen ästhetischen Verfahren der Wirklichkeit näher zu kommen als die fiktive Literatur, und damit aber auch näher an die *Wahrheit* dieser Wirklichkeit. Nicht Sinn oder Moralität einer vom Autor erdachten und gestalteten Geschichte, Fabel oder Parabel, nicht die von Martin Walser einmal so genannte »erfundene Authentizität« sollte auf den Leser oder Zuschauer wirken, sondern die Konfrontation mit dem zeitgeschichtlichen Dokument als dem unmittelbaren Träger der historischen Wirklichkeit: Keine Lehre sollte emotional bloß übernommen, sondern Wirklichkeit subjektiv erfahren und rational dem eigenen kritischen Urteil unterworfen werden.

Zwar wurde auch das dokumentarische Material ausgewählt und organisiert – was bald zur Kritik am dokumentarischen Verfahren führte. Aber die Teile dieser Arrangements waren original: in Heinar Kipphardts Stück »In Sachen J. Robert Oppenheimer« (1964) über dreitausend Seiten Protokolle aus dem von der Atomenergiekommission der USA gegen den amerikanischen Physiker Oppenheimer angestrengten Verfahren, das nachweisen sollte, Oppenheimer habe die Entwicklung der Wasserstoffbombe verzögert, weil er mit den Kommunisten sympathisiere; in Peter Weiss' Stück »Die Ermittlung« (1965) Zeitungsberichte über den Frankfurter Auschwitzprozeß; in Hans Magnus Enzensbergers »Verhör von Habana« (1970) die Niederschriften der öffentlichen Untersuchungen vom April 1961, in denen eine Reihe von Exilkubanern, die am Überfall auf Kuba (in der Schweinebucht) beteiligt waren, befragt wurden.

Während Peter Weiss die authentischen Texte durch Rhythmisierung akzentuierte, verzichtete Enzensberger auf jede Gestaltung und überließ die Wirkung des dokumentarischen Materials – ähnlich wie Kipphardt – ganz den dramaturgischen Effekten, die Befragungen, Verhöre und Gerichtsverhandlungen ohnedies haben, als authentische dramaturgische Formen – Friedrich Dürrenmatt: »Gericht ist Urtheater«.

Eine andere Form des Dokumentarismus waren die Interviewprotokolle Erika Runges. Über ihre Interviews in den »Bottroper Protokollen« (1968) hat Erika Runge später selbst gesagt, sie seien die stark verdichteten, nach Effekten betont arrangierten Zusammenschnitte weit ausholender und häufig kruder Tonband-Gespräche gewesen. Auch hier also formende Eingriffe ins authentische Material – gleichwohl artikulierten darin Arbeiter, Angestellte und Hausfrauen im Ruhrgebiet, zur Zeit von Zechenschließungen und sozialer Not, in ihrer eigenen Sprache, im eigenen Idiom Lebensprobleme, die von theoretischen Problematisierungen frei waren.

Noch Rolf Hochhuths Dramen – als erste »Der Stellvertreter« von 1963 und »Soldaten« von 1967 – ziehen ihren Wahrheitsanspruch aus der Authentizität der ihnen zu Grunde liegenden Dokumente, die als umfangreiche Zwischentexte in den Textbüchern erscheinen – man kann sie nachlesen, aber nicht inszenieren. Diese Dramen sind als Theaterstücke unbefriedigende Mischungen aus authentischem Material mit spielerischer Fiktion, klassizistisch und höchst konventionell gebaute Mammutstücke, die, nachdem sich ihr skandalisierender Mehrwert, und zwar meist schnell, verbraucht hat, kaum mehr gespielt werden.

Dieses Schicksal hat in den siebziger Jahren die gesamte Dokumentarliteratur ereilt. Zu sehr vertraute sie den klassischen literarischen Formen: dem Roman und der Erzählung, dem Historiendrama. Neue literarische Formen – außer Interview und Reportage, freilich selten von Kisch-Niveau – hat der Dokumentarismus nicht entwickelt. Erst im Film und vor allem im Fernsehen wurden neue mediale Formen realisiert; womit sie für die Literatur aber verloren waren.

Einen besonderen Fall innerhalb des Dokumentarismus stellen Günter Wallraffs Reportagen und Selbsterfahrungs-

Berichte aus der industriellen Arbeitswelt und anderen Grauzonen der demokratischen Gesellschaft dar. Sie gehören nur insofern zur Dokumentarliteratur, als sie schriftlich verfaßt worden sind. Sie sind vermutlich die im Sinne seines programmatischen Anspruchs sogar wirksamsten Arbeiten des Dokumentarismus, weil sie, auf konkreter Teilnahme Wallraffs beruhend, wohl gerade deshalb auch zu sichtbaren Ergebnissen geführt haben: Wallraff brachte zum Beispiel Arbeiter in Betrieben ohne Gewerkschaften zur Erkenntnis ihrer abhängigen Lage und verhalf ihnen durch sein tätiges Engagement nicht selten zur wirkungsvollen Solidarität. Zuletzt, indem er zwei Jahre lang die Rolle eines türkischen Arbeiters gespielt hat, der *ganz unten* – so auch der Titel seines erfolgreichsten Buches von 1985 – die Drecksarbeit eines Leiharbeiters verrichtete, und in Buch und Film die kriminellen Methoden sogenannter Subunternehmer vorgeführt und entlarvt hat. Aber auch er mußte, um herauszufinden, wie weit ein solcher Subunternehmer aus Profitinteresse gehen würde, ein *fiktives Spiel* innerhalb der Realität der Arbeitsprozesse inszenieren.

Die Diskussion darüber, ob Wallraff selbst auch die Texte über seine Aktivitäten geschrieben habe oder irgendwelche Schreib-Arbeiter, ist meiner Meinung nach völlig überflüssig: Authentisch sind seine konkreten Einmischungen und verdeckten Ermittlungen, die Berichte darüber aber dokumentieren solche Authentizität lediglich. Wer sie tatsächlich verfaßt hat, ist belanglos, es kann ein beliebiger Journalist sein, der über Wallraffs Arbeit als *under-cover-agent* eine Reportage schreibt. Denn zur Literatur auch im erweiterten Gattungsverständnis gehören die meisten Bücher Wallraffs kaum – weshalb auch ein Vergleich Wallraffs mit Egon Erwin Kisch nicht stichhaltig ist.

Das dokumentarische Verfahren wollte einen literarischen Realismus ersetzen, der Authentizität bloß vorspiegele und seine Leser durch ästhetische Mittel emotionalisiere – der Dokumentarismus wollte damit zur rationalen und selbsttätigen Erkenntnis des Zuschauers und Lesers in konkreten

Situationen anleiten. Der dokumentarisch arbeitende Autor vertraute so, indem er auf die Erkenntnis- und Urteilsfähigkeit des rezipierenden Publikums setzte, ja sie voraussetzte, noch auf die Anschaulichkeit und rationale Durchdringbarkeit der Wirklichkeit. Und sein Ziel war es, dieses Publikum zum mitgestaltenden Subjekt der Geschichte zu machen, indem er dessen individuelle Phantasie anregte. Politisch ausgedrückt: Er wollte ihm die Möglichkeit geben, zum handelnden Subjekt in seiner konkret erfahrbaren Lage zu werden. Ein Programm also der Aufklärung.

7.

Während der Dokumentarismus die literarische Konvention von der Wirklichkeit her durch eine eigene Praxis in Frage stellte und ihre Grenzen überwinden wollte, bekam auch eine andere Konzeption Auftrieb, die diese Literatur ebenfalls durch eine eigene poetische Praxis kritisierte, aber von der Sprache her: die *sprachdemonstrative Literatur*, bekannt auch als *Konkrete Poesie*, die eine ihrer Spielarten ist – auch hier signalisiert das Wort konkret, daß eine andere als die »*erfundene* Authentizität« gemeint ist. Dieser Literatur verbinden sich Autoren wie Helmut Heißenbüttel, Franz Mon, Eugen Gomringer und Ernst Jandl. Von welchem Gedanken geht ihre Konzeption aus?

Heißenbüttel mißtraut der Möglichkeit subjektiven Sprechens prinzipiell: Nicht der Sprechende entscheide, was er spricht, sondern der objektive Zustand der Sprache, die der Sprechende benutzt, präge sein Gesprochenes. Denn die Sprache sei vorgefertigt und durchsetzt mit viel-, also nichtssagenden Klischees und Versatzstücken – deshalb gebe es kein wirklich subjektives Sprechen mehr; denn nicht wir sprechen die Sprache, sondern *die Sprache spricht uns*. Also können wir uns mittels dieser Sprache auch nicht mehr subjektiv verständlich, das heißt unterscheidbar machen. Alles Sprechen geht demnach unter in einem allgemeinen, ununterscheidbaren Gemurmel.

Heißenbüttel hat in seinen Textbüchern der sechziger Jahre traditionelle Formen vor allem der Lyrik, aber auch der Prosa, demonstrativ in Frage gestellt, indem er sie mit gängigem Sprachmaterial füllte und ihre formalen Grenzen, etwa durch scheinbar unsinnige oder sinnlose Enjambements, sprengte. Dabei kam es ihm darauf an, Ausdrucksmöglichkeiten aus den verfestigten Gebrauchskontexten zu befreien und sie in ihrem Eigenwert zu betonen. Und vor allem, um den Jargon als Form nicht nur der Sprache, sondern als heruntergekommene Form des Denkens vorzuführen.

1970 hat Heißenbüttel dieses analytisch-poetische Verfahren auf die größere Prosaform ausgedehnt mit seinem »Projekt Nr. 1. D'Alemberts Ende«: eine Collage von Phrasen und Zitaten aus dem Bereich der Medienmacher, die deren nichtssagend hochtrabendes Gerede dekouvriert – eine amüsante und spannende Lektüre:

»Alle brauchen tatsächlich Redewendungen, Floskeln, Formeln, die alle gebrauchen und die allgemein, regional, in Gebrauch sind, wie etwa: schick, genau, in der Tat, hastudasgehört, nicht möglich, sagemal, höremal, machdochnichts, Schwamm drüber, mußduselberwissen, prima (Andie manchmal wahllos), behämmert (Ottilie) am Arsch, scheißdrauf, fabelhaft, unheimlich usw. Sie sprechen zum Beispiel auch darüber, daß sie in der Zeitung gelesen haben, daß in Italien ein neuer Skandal usw., und Helmut Maria behauptet, daß es nur da noch Proletarier gibt, wo es öffentliche Skandale gibt. Vielleicht, fügt d'Alembert hinzu, sind es die letzten Proletarier und man muß sie wie in einer Art kapitalistischen Naturschutzgebiets vorm Aussterben schützen, weil die Proletarier die einzige Garantie sind für Veränderung und Revolution. Die Schildkröte erwähnt ein wenig süffisant, er habe dem Artikel d'Alemberts neulich entnommen, daß er tatsächlich doch usw. Sie reden alle durcheinander über den und den, der die und die Bilder von dem und dem scheußlich oder fabelhaft oder das Letzte oder eine Offenbarung oder als Weltkunst oder einfach nicht mehr up to date findet. Dr. Johnson fragt d'Alembert, welche Galerien in Deutschland eigentlich feste Monatsbeträge zahlen. D'Alembert macht Ausflüchte. Helmut Maria schiebt, wenn er in Erregung ist, oft ein kurzes und fast stimmloses ö in seine Sätze ein. Eduard verwendet häufig das Wort: offenbar; er verkleinert seine Meinung häufig durch den Zusatz: würde ich sagen; und hat die Angewohnheit zu sagen: wenn du weißt, was ich meine. Dr. Johnson fragt d'Alembert noch einmal, welche Galerien in Deutschland eigentlich feste Monatsbeträge zahlen. D'Alembert macht noch einmal Ausflüchte. Eduard hat gestern überlegt, ob er Hubert Fichte anrufen soll, hats aber noch nicht getan, und d'Alembert erzählt, wie er Fichte neulich im Atelier Mensch getroffen hat und daß sie eigentlich zusammen essen gehen wollten, aber Fichte hatte sich im letzten Augenblick doch noch daran erinnert, daß er usw.

Bei alldem aber muß man sich darüber klar sein, daß sie hier nun tatsächlich unter sich sind und daß, was an ihrer Unterhaltung Konversation ist, diese Form nur annimmt, wenn sie unter sich sind; daß sie dagegen, wären sie in Gesellschaft von Mitgliedern anderer Gruppen oder Schichten, redeten sie so wie jetzt, als absolut Fremde erscheinen würden. Was sie reproduzieren, ist nicht die generelle, sondern eine spezielle Konversation, an der generellen, die vage den gesellschaftlichen Gesamtzustand widerspiegelt, haben sie nur tangierend Anteil. Ihre Konversation hat die Form von Jargon. Aber man muß dabei erkennen, daß auch die Inhalte ihrer Gespräche Jargon sind; daß ihr Zustand dadurch gekennzeichnet ist, daß ihr Bewußtsein die Form von Jargon angenommen hat.«

Die sprachdemonstrative Literatur hat sich durch Jahre hindurch unterschiedlichster Methoden bedient, um eben dies herauszufinden und herauszustellen: daß unser *Bewußtsein die Form von Jargon angenommen hat.* Sie zerstören den herkömmlichen Satzbau und etablieren Sprachformen, um all jene Vorurteile und Verhärtungen, die im traditionellen Sprachzusammenhang konserviert sind, aufzubrechen. Und die Konkrete Poesie als geläufigste Form der sprachdemonstrativen Literatur malt Worte akustisch oder visuell aus, um sie als Sinn- und Bedeutungsträger neu erfahrbar zu machen und um den Eigenwert der sprachlichen Bestandteile demonstrativ herauszustellen.

Die effektvollsten Spielarten einer vor allem auch mit lautmalerischen Sprachmitteln arbeitenden Konkreten Poesie präsentiert Ernst Jandl. Zum Beispiel in diesem Gedicht aus dem Band »Laut und Luise« (1966):

```
schtzngrmm
schtzngrmm
t-t-t-t
t-t-t-t
grrrmmmmm
t-t-t-t
s -- c --- h
tzngrmm
tzngrmm
tzngrmm
grrrmmmmm
schtzn
schtzn
t-t-t-t
t-t-t-t
schtzngrmm
schtzngrmm
tsssssssssssss
grrt
grrrrrt
grrrrrrrrrt
scht
scht
```

t-t-t-t-t-t-t-t-t-t
scht
tzngrmm
tzngrmm
t-t-t-t-t-t-t-t-t-t
scht
scht
scht
scht
scht
grrrrrrrrrrrrrrrrrrrrrrrrrrrrrrrrrr
t-tt

Die sprachdemonstrative Literatur, kann man verkürzend sagen, hat eine Vielfalt von Methoden entwickelt, die eine veränderte Erfahrung in einer sich verändernden Umwelt bezeugen und die Möglichkeiten bereitstellen, sich neu darin zu orientieren.

*Dokumentarismus* und *sprachdemonstrative Literatur* wollten, jede Methode auf ihre Weise, den Leser oder Zuschauer zum handelnden, mitgestaltenden und selbstbewußten Subjekt machen, wollten ihn mit aufklärerischen Mitteln aus der Unmündigkeit des nur konsumierenden Rezipienten befreien. Sie haben sich nicht als anhaltende eigenständige literarische Strömungen durchsetzen können, aber sie haben die Schreibweisen der deutschsprachigen Literatur beeinflußt – Bücher wie Jürgen Beckers »Felder« (1964) und »Ränder« (1968), für das er in der Pulvermühle 1967 den letzten Preis der »Gruppe 47« bekam, sind ohne die Wirkung der sprachdemonstrativen Literatur, die Helmut Heißenbüttel auf den Tagungen der »Gruppe 47« seit 1956 vorgeführt hat, nicht vorstellbar. Aber auch Autoren wie Ror Wolf und Paul Wühr sind ohne die Schule der sprachdemonstrativen Literatur nicht zu denken.

Die gemeinsame Wirkungsabsicht so unterschiedlicher literarischer Ansätze wie Dokumentarismus und sprachdemonstrative Literatur hatte also Folgen für die Entwicklung der Literatur, die sich aber nicht so spektakulär in Szene setzten wie eine Debatte, die aus einer ganz anderen Richtung in Gang gebracht wurde: die heftigen Diskussionen um den Tod der bürgerlichen Literatur.

8.

1962 schrieb Hans Magnus Enzensberger in der Nachbemerkung zu seinen kulturkritischen Aufsätzen »Einzelheiten«: »Kritik, wie sie hier versucht wird, will ihre Gegenstände nicht abfertigen oder liquidieren, sondern dem zweiten Blick aussetzen: Revision, nicht Revolution ist ihre Absicht.«

Fünf Jahre später, 1967, artikulierte Enzensberger in »Times Literary Supplement« die These: »Tatsächlich sind wir heute nicht dem Kommunismus konfrontiert, sondern der Revolution. Das politische System in der Bundesrepublik läßt sich nicht mehr reparieren. Wir können ihm zustimmen, oder wir müssen es durch ein neues System ersetzen. Tertium non dabitur. Nicht die Schriftsteller haben die Alternative auf dieses Extrem begrenzt; im Gegenteil, seit 10 Jahren bemühen sie sich, das zu vermeiden. Die Macht des Staates selbst sorgt dafür, daß die Revolution nicht nur notwendig wird (sie wäre 1945 notwendig gewesen), sondern auch denkbar, selbst wenn sie in absehbarer Zukunft nach wie vor nicht möglich sein wird. Nicht die Schriftsteller, sondern die Studenten stellten sich erstmals der Alternative, und sie tragen deren Narben.«

Dies war nun nicht mehr bloß ein Symptom für eine Identitätskrise des etablierten literarischen Nonkonformismus und seiner realistischen Schreibweisen – es war seine Aufkündigung und Verabschiedung durch einen Schriftsteller, der selbst zu seinen prägenden Figuren gehört hatte.

Enzensberger machte sich damit zum Sprecher jener bürgerlichen, meist studentischen Linken, die sich 1966 nach

Bildung der Großen Koalition zwischen CDU/CSU und SPD in einer *Außerparlamentarischen Opposition (ApO)* zusammengefunden hatte, weil eine wirksame parlamentarische Opposition im Deutschen Bundestag nicht mehr existierte. Eine neue Generation vereinigte sich im Protest gegen das Unrecht der ganzen Welt, das vom *herrschenden Establishment* – so das Schlagwort dieser Zeit – bewirkt, getragen oder zumindest doch geduldet wurde: außenpolitisch Vietnam und Persien, innenpolitisch die Notstandsgesetzgebung und wirtschaftspolitisch die Verflechtung deutscher Unternehmen in Geschäfte mit menschenverachtenden Regimen diktierten dieser protestierenden Generation ihre Themen. Und ihr moralischer Impuls forderte ein politisches Handeln, das auch ein noch so *engagierter* oder *kritischer* literarischer Realismus nicht bewirken konnte.

Denn, so die Argumente damals: Die Autoren hatten den Bezug zum konkreten Alltag der Bevölkerung und ihren Bedürfnissen verloren, waren ins nur noch medienspektakuläre Reservat des Literaturbetriebs entrückt und glaubten an eine gesellschaftliche Wirkung, wo es doch nur einen Reflex in den Medien gab. Diese Schriftsteller, schrieb 1968 Peter Schneider, einer der literarischen Wortführer dieser jungen Protest-Generation, »hoffen stillschweigend darauf, daß der Leser durch die Darstellung seiner Misere zu der politischen Wut erzogen würde, die sie selbst lieber in die üppige Darstellung des Elends investieren.« Aber: »Was da im Leser reagieren könnte, das muß erst einmal durch die Aktion hervorgeholt werden.«

Und er entwickelte aus der Kritik an dieser Literatur einen Hinweis auf ihre mögliche Veränderung. Rhetorisch fragte er: »Heißt das, daß die bürgerliche Literatur tot ist? Ja, die bürgerliche Literatur, die die Verzweiflung der ungeheuren Mehrzahl von ihren erklärbaren und erkennbaren Ursachen ablöst und sie zu einer genießbaren Erfahrung verformt, die Literatur, die ohne irgendein Zeichen der Überraschung mitten im Überfluß nichts weiter artikuliert als Verzicht, Entsagung und Verlust, die Literatur, die den Massen ihr

Elend nur zeigt, um sie daran zu gewöhnen, diese Literatur ist tot und muß zu Grabe getragen werden. Wenn immer einer seine Unterdrückung schildert, dann soll er sie in ihrer Verwechselbarkeit zeigen, soll ihre Ursachen zeigen und die Strategie der Befreiung.«

Schneider forderte vom Schriftsteller Solidarität statt Individualismus, politische Analyse statt verbalen Moralismus, aber auch einen aus der konkreten Erfahrung gewonnenen und von dieser Erfahrung verbürgten Subjektivismus. Und: Die Schriftsteller sollen *Dolmetscher der Massen* sein – ein Schlagwort aus dem China der *Großen proletarischen Kulturrevolution* des Mao Zedong.

Die immanente Kritik, welche die literarische Praxis von Dokumentarismus und sprachdemonstrativer Literatur an der etablierten Literatur vollzog, wurde hier programmatisch formuliert. Doch wie sah die literarische Praxis aus, die diesem Programm folgte?

Hans Magnus Enzensberger schrieb im »Kursbuch« Ende 1968: »Wenn die intelligentesten Köpfe zwischen zwanzig und dreißig mehr auf ein Agitationsmodell geben als auf einen ›experimentellen Text‹; wenn sie lieber Faktographien benutzen als Schelmenromane; wenn sie darauf pfeifen, Belletristik zu machen und zu kaufen: Das sind freilich gute Zeichen. Aber sie müssen begriffen werden.«

Das traf nicht nur Bücher wie »Die Blechtrommel« des Günter Grass, sondern eben auch die gesamte sprachdemonstrative Literatur von Heißenbüttel und anderen. Die Studenten, die, laut Enzensbergers Revolutionsdekret im »Times Literary Supplement«, die »Narben« der Kulturrevolution trugen, experimentierten nicht mit Modellen der Sprache, sondern lieferten ihre Demonstrationsmodelle auf den Straßen der kritisierten Republik ab.

Fünfundzwanzig Jahre später, im silbernen Jubiläumsjahr der 68er Bewegung, erinnert sich Robert Gernhardt solcher Verdiktorik: »Auch mir wurde verstärkt ins Gewissen geredet und so gut wie alles, was mir lieb war, als heillos entlarvt. – Die Kunst: Bewährte Methode, die unter dem Druck der

Verhältnisse Leidenden von ihren wahren Problemen durch eine Welt des schönen Scheins abzulenken; die Komik: Folgenloses Entlastungsventil; die Satire: Institutionalisierte Nische für Alibi-Hofnarren; die Ironie: Zwischentöne sind nur Krampf im Klassenkampf; die Ehe: Kleinste kriminelle Vereinigung; die Natur: Erfindung interessierter Kreise, um von den Zuständen in der Gesellschaft abzulenken; der Alkohol: Staatlich zugelassenes Rauschgift der privilegierten und Selbstzerstörungsmittel der arbeitenden Klasse.«

9.

Das Ende dieser Vision: Die bundesrepublikanische Gesellschaft wollte die von Enzensberger apostrophierten »guten Zeichen« nicht erkennen. Auf die Agitationsmodelle reagierte sie nicht – oder autoritär. Die Faktographien mit ihren Beschreibungen basisdemokratischer Möglichkeiten aus anderen Ländern nahm sie nicht zur Kenntnis – sie blieben vornehmlich einer linken Intelligenz und Teilen der politisierten Studentenschaft vorbehalten. Denn die Basis, auf die sie wirken sollten, vermochte sie nicht zu begreifen, weil sie in einer Sprache abgefaßt waren, die die Basis nicht verstand; für ihr Verständnis fehlten ihr nicht nur die politischen, sondern vor allem auch die sprachlichen und begrifflichen Voraussetzungen. Das gesamte politische Programm der jungen Linken geriet in eine wortreiche Sprachlosigkeit, die weder ein konkret umsetzbares gesellschaftspolitisches Konzept noch auch nur Beschreibungen gesellschaftlicher Wirklichkeit erfolgreich vermitteln konnte.

Was diese junge Linke einst der etablierten Literatur der Nonkonformisten – zu Recht oder zu Unrecht – vorgeworfen hatte, daß sie nämlich mit ihrem *Realismus* das konkrete Leben der Menschen nicht mehr erreiche, begründete auf veränderte Weise das Scheitern ihrer Rebellion: Ihr radikaler

*Idealismus,* der als rigoroser Moralismus auftrat, und ihre revolutionäre Ungeduld, die sich als selbstgewisse Unduldsamkeit zeigte, verschreckten die Bürger. Die wollten zwar auch eine politische Veränderung, vertrauten freilich dem System der parlamentarischen Demokratie und brachten 1969 die sozialliberale Koalition an die Regierung. Und die junge Linke zerfiel: paßte sich auf dem von ihr propagierten *Marsch durch die Institutionen* meist an, nahm in Teilen sektiererische Züge an, und einige flohen vor der Wirklichkeit in einen blutigen Terrorismus.

Langfristig haben die basisdemokratischen Vorstellungen aus dieser kurzen kulturrevolutionären Zeit dennoch Wirkung gezeigt: in zahllosen Bürgerinitiativen vor allem im kommunalen Bereich, in der Friedensbewegung und in der Partei der Grünen setzte sich fort, wofür Ende der sechziger Jahre von den Rebellen der jungen Generation der Keim gelegt wurde. Auf Kunst und Literatur aber hat diese kulturrevolutionäre Phase unmittelbarer gewirkt als auf Staat und Gesellschaft: und zwar kunstfeindlich und ent-literarisierend.

Insofern trifft Enzensbergers Notiz zu: Die Generation des Protests konnte mit der alten Literatur nichts mehr anfangen, konnte sie nicht mehr gebrauchen, weil in ihr weder ihre Probleme gegenüber Staat und Gesellschaft artikuliert noch ihre geheimen Wünsche gegen eine im Materialismus erkaltete Welt aufgehoben waren. Deshalb sprach sich ihre geschichtslose Radikalität gegen Kunst und Literatur auch so prinzipiell aus: Sie setzte an deren Stelle vor allem die Aufarbeitung politischer, psychologischer und soziologischer Theorie – neben Marx, Lenin, Herbert Marcuse, Wilhelm Reich und anderen Göttern konnte da, gleichsam als literarische Illustration der Theorie, nur noch das seit Mitte der sechziger Jahre neu entdeckte Werk Bertolt Brechts bestehen.

Zu einer eigenständigen literarischen Praxis von Dauer haben die Ideen der neuen Linken nicht gefunden. Aber sie haben gleichwohl etwas bewirkt. Sie haben den Weg vorbereitet für eine neue literarische Bewußtheit. Sie haben der Literatur den Weg aus dem Feiertag in den Alltag gewiesen. Und manch einer der alten Schriftsteller, die mit den Studentenprotesten auch gemeint waren, hat diese Vertreibung akzeptiert.

So war es eben kein Schriftsteller der damals jungen Linken, sondern ein auf sehr persönlich beglaubigte Weise nonkonformistisch engagierter Schriftsteller, der 1974 jenes Buch schrieb, das die damals unter dem Eindruck von Terrorismus und neuer gesellschaftlicher Lähmung stehenden Verhältnisse in der Bundesrepublik *mitten ins Herz* traf: Heinrich Böll schrieb, aus selbst erlittener Erfahrung mit der Gewalt der Medien – der BILD-Zeitung und rechter Kommentatoren wie Matthias Walden –, die Erzählung »Die verlorene Ehre der Katharina Blum oder: Wie Gewalt entstehen und wohin sie führen kann« – ein Buch, das die neuen Reflexe einer Gesellschaft sammelte, die nach ihrer Erfahrung mit der dogmatisch gewordenen Linken verunsichert war und die dann noch vom Terrorismus einiger weniger versprengter Linker in dieser Verunsicherung zutiefst getroffen wurde.

Die Erfahrungen des Terrorismus vom Anfang der siebziger Jahre bis zum berüchtigten *deutschen Herbst* im Jahre 1977, in dem Hanns Martin Schleyer, der Repräsentant der deutschen Industrie und eine der Leitfiguren des sogenannten ›Establishments‹, entführt und ermordet wurde, trieben die autoritären Strukturen der deutschen Gesellschaft und die unangenehme Seite ihrer Mentalität, eine Mischung aus verständlicher Verängstigung und brutaler Reaktion auf die Ursachen dieser Angst, wieder stärker hervor.

In der Mitte dieser siebziger Jahre traf Bölls Erzählung sowohl Administration als auch Medien einer sich pluralistisch definierenden Gesellschaft, die gleichwohl unfähig geworden war, auf die Verunsicherung jener Zeit differenziert und überlegt demokratisch zu reagieren. Bölls Erzählung erfaßte beispielhaft dieses Klima der Kälte, der Verängstigung und der Beziehungslosigkeit zwischen den Menschen.

## 10

Die Kälte und wachsende Beziehungslosigkeit der Menschen untereinander, allgemein als gesellschaftliches Phänomen und insbesondere als Problematisierung der traditionellen familiären und Zweier-Beziehungen, wird auf vielfältige Weise Thema in der Literatur der späten sechziger, dann der siebziger Jahre. Die dogmatische Linke hatte auf diese Veränderung des gesellschaftlichen Klimas mit lautstarken Parolen und kollektiver Aggressivität reagiert, ihr waren Literatur und Kunst, sofern überhaupt von Bedeutung, nur Mittel zum Zweck ihrer Agitation. Dagegen setzten einige Schriftsteller eine sich ihrer gesellschaftlichen Einsamkeit und Ohnmacht bewußte Individualität, eine die Parolen, die nichts heilten, verachtende sprachliche Komplexheit.

Für Thomas Bernhard lag in der gesellschaftlichen Absonderung schon früh das Grundmotiv für seine Literatur. In Romanen wie »Frost« (1963), »Verstörung« (1967) und »Das Kalkwerk« (1970) und in Stücken – etwa »Die Jagdgesellschaft« (1973) und »Die Macht der Gewohnheit« (1974) – beschrieb er auf entschieden individuelle und demonstrativ komplizierte Weise eine sich verdüsternde Welt, in der dem Menschen kein Raum zur Entfaltung mehr bleibt, und legte damit die Koordinaten fest, zwischen denen sich sein gesamtes Werk ausspannt. Es wird getragen von einem absoluten Liebesanspruch, der nicht erfüllt wird und nie erfüllt werden kann: Nur die Liebe macht die Welt erträglich; aber alle Menschen, die um den Einzelnen sind, und seien sie diesem noch so freundschaftlich verbunden, bleiben beziehungslos zu ihm, wenn ihm die Erfüllung der Liebe zu nur einem von ihnen versagt bleibt. 1963 veröffentlichte Thomas Bernhard ein Gedicht, das wie ein Motto über seinem Werk stehen könnte:

Kein Baum
wird dich verstehn,
kein Wald,
kein Fluß,

kein Frost,
nicht Eis, nicht Schnee,
kein Winter, Du,
kein Ich,

Kein Sturmwind
auf der Höh, kein Grab,
nicht Ost, nicht West,
kein Weinen, weh –
kein Baum ...

In der 1967 erschienenen Erzählung »Das Verbrechen eines Innsbrucker Kaufmannssohns« steht der Halbsatz: »Seine Unmöglichkeit, sich auch nur ein einziges Mal in seinem Leben verständlich zu machen, war auch die meinige ...« Der Satz ist gemünzt auf den im Titel der Erzählung genannten verkrüppelten Sohn, dessen Verwachsenheit, an der er zu Grunde geht, sein »Verbrechen« ist. Und der zweite Halbsatz aus dieser Erzählung: »... der ununterbrochene *vergebliche* Versuch, das Vertrauen seiner Eltern und der anderen Menschen seiner Umgebung, wenigstens der unmittelbarsten, zu gewinnen« – dieser Satz entfaltet und entlarvt das Selbstverständnis einer rigoros egoistischen Gesellschaft, deren Verhaltensnormen aus eingeschliffenen Vorurteilen gebildet sind. Er zeigt die tiefe Verlassenheit und Verlorenheit, in welche diese Absonderlichen – die Buckligen, die Krüppel – hineingeboren sind; unabänderlich ist ihre Lage, verstört wird ihr Geist – die Auflösung ins Nichts, der Tod, bedeutet ihnen Erlösung. Thomas Bernhards Roman »Korrektur« von 1975 radikalisiert diese Weltsicht noch: Der Tod und der Wunsch nach vollkommenem Glück fallen zusammen. Auch hier wird das Sterben zur Erlösung vom Leben.

Alle wichtigen Figuren Bernhards haben Eigenschaften, die den bürgerlichen Normen widersprechen, sie tragen Schmerz mit sich und müssen sich als Außenseiter der Gesellschaft begreifen. Als Außenseiter hat Bernhard auch sich selbst stets empfunden und dargestellt: sehr entschieden in fünf autobiographischen Berichten, die den psychologischen Fundus seines Werks eindrucksvoll aufhellen. Der erste Bericht erschien 1975: »Die Ursache. Eine Andeutung«: die historische und existentielle Selbstvergewisserung in einer Prosa, die Jugend, Kindheit und Krankheit umkreist, einkreist, die selten larmoyant, aber häufig aggressiv und voller Trauer auf die eigene vergangene Lebenswelt reagiert. Innerhalb von sieben Jahren erschienen »Der Keller. Eine Entziehung«, »Der Atem. Eine Entscheidung«, »Die Kälte. Eine Isolation« und »Ein Kind« – eine Pentalogie, an deren Intensität die ähnlich und gleichwohl maniert sich ergießende Suada von »Holzfällen« (1984) nicht mehr heranreicht: jene vernichtende Abrechnung mit der Wiener Kulturschickeria, die bloß eine polternde »Erregung« blieb, als die sie der Untertitel ausweist.

Nur Bernhards umfangreichster Roman »Auslöschung. Ein Zerfall« (1986) zeigt noch einmal, wie in einer Summe, die große, zuweilen allerdings ermüdende, Räsonierkunst des weltverachtenden Erzählers, dessen ständiger Versuch, sich mit der Gegenwart sprachlich herumzuschlagen, im Grunde ein unentwegtes verzweifeltes Bemühen war, mit der eigenen Vergangenheit zu Rande zu kommen. Nichts zeigt dies deutlicher – und auch auf Kosten des ästhetischen Gelingens zorniger – als Bernhards letztes Stück »Heldenplatz« von 1988: seine letzte große Verletzung der selbstgefälligen österreichischen Gesellschaft, unter der er lebenslang gelitten hat.

Auch Rolf Dieter Brinkmann in seinem Roman »Keiner weiß mehr« von 1968 nähert sich den Gegenständen seiner Lebenswelt, die er nie endgültig zu fassen vermag, indem er sie erzählend umkreist: »Keiner weiß mehr« ist der Roman einer Ehe und zugleich der Roman des die Ehe aus der Distanz betrachtenden und in der Nähe erleidenden Erzählers. Die Zweisamkeit zwischen Mann und Frau vergeht in Einsamkeit, sie ist nicht widerstandsfähig gegenüber dem Alltag mit seinen banalen Ansprüchen. Die Liebe, deren Manifestation Ehe im glücklichsten Falle ist, zerreibt sich zwischen den Gewohnheiten: Da ist ein ungeplantes Kind, es wird zur negativen Symbolfigur für diese Liebe, ist Störfaktor und das typische Merkmal dieser ungewünschten banalen Alltäglichkeit. Brinkmann beobachtet diese autobiographisch grundierte Welt, gegen die er nicht ankommt, sehr genau, doch bedient er sich bei seiner Darstellung einer merkwürdig ausschweifenden Assoziationstechnik, die ihre Gegenstände immer enger einkreist, um sie dann wieder von sich zu stoßen; Nähe und Distanz oszillieren, weil jede für sich kaum zu ertragen ist: »Er sah, daß er sie nicht einmal für eine Stunde von sich abschütteln konnte, so wie sie war, wirklich, trotz seiner Einbildung, daß sie nicht so war, wie sie sich ihm zeigte, durch ihn dazu herausgefordert, sich zu zeigen, wie sie wirklich war und er es von ihr glaubte, nämlich nicht so abwesend und ständig damit beschäftigt, irgend etwas anderes zu sein.«

Dieser Satz inmitten des Romans ist symptomatisch für Brinkmanns Erzähltechnik; sie ist bezeichnend für seine Erzählerfigur, die zwar exakt beobachtet, was ist, die sich dann aber doch verbal distanziert, obgleich sie dieser Welt schließlich ausgeliefert bleibt, statt ihr endgültig zu entfliehen. Denn es ändert sich im Verhältnis der beiden Eheleute zueinander nichts, wenn der Roman zu Ende ist. Es gibt keine Hoffnung: Keiner weiß mehr ...

Brinkmann starb 1975, kurz nach seinem 35. Geburtstag, bei einem Autounfall in London. Gerade war sein letzter Gedichtband erschienen: »Westwärts 1 & 2« – Brinkmann schrieb eine Lyrik, die stark von der amerikanischen Beat- und Subkultur beeinflußt war, aber immer auch von der Sehnsucht zehrte, sich selbst zu entkommen, fast könnte man sagen: sich zu befreien vom Zwang, leben zu müssen.

*Über das einzelne Weggehen*

Als sie weinte, ging ich
weg, den schmalen Lehmweg
hinunter in den Ort. Eine

Wut, die still ist, trocknet
aus. Jedes Haus war aus
getrocknet, und darüber die

Milchstrasse, die ausgetrocknet
war, für mich viel zu weit
weg, um dorthin zu gehen, bis

sie ging, den einen Schuh
lose am Fuß schlenkernd, weil
der Lederriemen gerissen

war, den Berg hinunter, in
das Zimmer, wo sie stand
und wir uns anschauten.

Solche Gedichte sind in den letzten Lebensjahren Brinkmanns nur noch selten entstanden. Es überwogen die endlosen Konstruktionen, in denen alle Einfälle: Ideen, Gedanken, Geschautes und Gedachtes assoziativ aneinandergereiht stehen, offene Montagen aus Eigenem und Zitiertem, Gedichte, die fließend und kaum durchkonstruiert zu sein scheinen – auch hier immer wieder die Versuche, sich zu befreien vom Zwang der eiskalten Konvention, um ins heiß Anarchische zu kommen, wie es im nachgelassenen Band »Rom, Blicke« (1979) ungebändigt sich zeigt: als maßlose Abrechnung mit allem, was das wild egozentrische Ich umgibt. Brinkmann war unter den Schriftstellern seiner Generation wohl auch deshalb der Unverträglichste und Radikalste, weil er am wenigsten bereit war, sich selbst mit seiner eigenen Lebenssituation, die immer auch von anderen gefesselt war, zu versöhnen.


12.


Einer, der schon früh den Schriftsteller Rolf Dieter Brinkmann rühmte, war Peter Handke. Mit seinen ersten Büchern, den Romanen »Die Hornissen« (1966) und »Der Hausierer« (1967) und der Erzählung »Die Angst des Tormanns beim Elfmeter« (1970), gleichsam Versuchsanordnungen in Prosa, und den im Grunde antitheatralischen Bühnenexperimenten »Publikumsbeschimpfung« (1966) und »Kaspar« (1968) wollte der junge Peter Handke, dieses pilzköpfige Wunderkind der Nach-Gruppe-47-Generation, der Wirklichkeit modellartig beikommen: mit sprach- und erkenntniskritischen Systemattacken, die gegen die realistische Literatur geschrieben waren. Fünf Jahre später, zu Anfang der siebziger Jahre, veröffentlichte er drei Bücher, die deutlicher als jene zuvor auch von persönlicher, also autobiographischer Betroffenheit zeugen: »Der kurze Brief zum langen Abschied« (1972) literarisiert die Trennung von seiner Frau, »Wunschloses Unglück« (1972) erzählt den Tod seiner Mutter, die nicht mehr leben wollte in einer kleinbürgerlichen Umgebung, weil diese jegliche Individualisierung verhinderte.

Ganz auf die eigene Erfahrung gestellt, zeichnete Handke in der »Stunde der wahren Empfindung« (1975) die Suche nach jenen seltenen Glücksmomenten nach, die von keinem gesellschaftlichen System behindert werden können:

»Das ist es, was mich seit diesen Jahren beschäftigt: Wie kann man das Glück darstellen? Wie kann man vor allem das Glück dauerhafter zu machen versuchen? In der ›Stunde der wahren Empfindung‹ (…) geht es ja gegen Schluß darauf aus, daß er, der Held, erkennt – und das finde ich wirklich eine Erkenntnis –, daß das Glück nicht nur eine vorübergehende Stimmung sei, und das sei zu vermeiden dadurch, daß er eine Arbeit finde, die für ihn und für andere so notwendig wäre wie sonst nur ein Gesetz. Das hat man wenig erkannt an dem Buch, man hat nur gesagt: Wie kommt dieser Schluß zustande? Aber der Held versucht ja, darüber nachzudenken, was diesen unheimlich wechselnden Stimmungen ein bißchen von Ordnung, von Kontinuität geben könnte, und das einzige ist ja eben die – Entschuldigung für das Wort – nicht entfremdete Arbeit.

(…) Wenn dieses Gefühl, daß das Glück allein nicht zu schaffen ist, körperlich wird, dann kann man, glaube ich, auch ganz richtig politisch schreiben. Aber die meisten ›politischen‹ Schriftsteller haben das ja nicht körperlich gefühlt. Das muß man an Leib und Seele erfahren. Das weiß ich immer mehr: Ich kann mein Glück nicht preisen, wenn es gleichzeitig, nicht nur rundherum, sondern auch im entferntesten Winkel, Unglück gibt. Das ist nicht nur so deklamiert, sondern jetzt weiß ich es auch. Durch das Schreiben von solchen Geschichten übers Glück weiß man von der Verantwortung, die man hat, und man weiß, daß man nichts vergessen darf. Während wir hier sitzen, sind die Zeitungen voll von den Hinrichtungen in Spanien, und man weiß, wie man selber funktioniert – wenn Franco stirbt, dann würden einige Liberalisierungen eintreten, und man würde diese Toten entweder vergessen oder man würde aus der Erinnerung an sie einen Fetisch machen; man darf beides nicht machen: auf keinen Fall das, was passiert ist, vergessen, und andererseits daraus keine Ikonen machen. Und diese Verbundenheit, die ich jetzt spüre und die ich früher mehr mit Zwang aufoktroyiert durch Meinungen gespürt habe, ist mir immer mehr, durch das Schreiben, durch das Erforschen von mir selber, selbstverständlich geworden. Und ich könnte jetzt nie von mir aus in die Welt hinausposaunen, wie zufrieden ich wär.«

Auch in der Erzählung »Die linkshändige Frau« (1976) sucht ein Mensch nach individuellem Glück: Eine Frau verläßt ihren Mann, nachdem sie ihre innere Beziehung zu ihm verloren hat, weil beider Verhältnis zueinander nur noch in festen und außengeleiteten Rollen *ver*läuft. Aber auch dies wird in der schönen und nahegehenden Erzählung offenbar – und antwortet so auf das Emanzipationsthema dieser Zeit: Ein Mensch, der einen anderen verläßt, um sich zu emanzipieren, kann nicht leben, ohne das nun Fehlende durch etwas Neues, einen neuen Lebenswert, zu ersetzen. Wer nur den Plakatierungen der Emanzipationsbewegungen vertraut, wird sich sehr bald in kalter Einsamkeit wiederfinden. Formeln, so rational und bewußt und notwendig sie auch sein mögen, können keine Beziehung, weder deren Risiken noch deren Glück, die einander bedingen, wettmachen. Handke hat diese Erzählung in einer sehr präzisen Sprache geschrieben, mit nur wenigen Bildern und Metaphern, in einer Sprache, die entschleiert statt zu verzaubern. Paradox gesagt: Er argumentiert in diesem Buch wie in kaum einem anderen rational mit Poesie.

Es war – bis auf die »Kindergeschichte« von 1981, in der er das Leben eines Vaters mit seiner heranwachsenden Tochter erzählte – für lange Zeit das letzte Mal, daß Peter Handke seine sensible und zugleich sehr lebendige Selbsterfahrungsprosa schrieb. Danach zielte sein Schreiben auf eine harmonisierende Zusammenschau der Dinge, auf die Gewinnung einer ganzheitlichen vorrationalen Gesetzmäßigkeit in Welt und Geschichte, auf ein erneuertes Programm der Klassik. Und der Autor, der in den späten sechziger und frühen siebziger Jahren eine ganze Generation von Lesern begeistert hatte, stieß in seiner immer weniger nachzuvollziehenden, immer mehr privatisierenden Weltentrückung zunehmend auf Unverständnis.

13.

In den sechziger Jahren haben die Bühnen der Bundesrepublik ausgiebig nachgeholt, was sie in den fünfziger Jahren willentlich versäumt hatten: Aufführungen der Stücke Bertolt Brechts. Das unerbittlich groteske Welttheater Friedrich Dürrenmatts wurde abgelöst von didaktischen Bühnenexperimenten Brechtscher Herkunft – die Dramaturgen mit Piscatorschem Ehrgeiz machten aus der Illusionsbühne eine pädagogische Anstalt, und danach verwandelte Peter Stein das Theater in den Zeremonienraum spätbürgerlicher Feinsinnigkeit.

Zugleich wurde im Zuge der Brecht-Renaissance auch das Volkstheater wieder entdeckt – zum Beispiel das Theater Ödön von Horváths und Marieluise Fleißers. Als einer ihrer geistigen Söhne präsentierte sich Anfang der siebziger Jahre ein junger Dramatiker, der sich sehr schnell und sehr erfolgreich auf den deutschen Bühnen etablierte: Franz Xaver Kroetz. Die Erfahrungen, die Kroetz in seinen Stücken verarbeitet, hatte er zuvor selbst gesammelt: Als Hilfsarbeiter, Fahrer, Knecht und Gärtner hat er existentielle Bedrängung und Not, Abhängigkeit und Unterdrückung am eigenen Leib erfahren. Sie sind Themen seiner ersten Stücke am Beginn der siebziger Jahre: »Heimarbeit«, »Männersache«, »Stallerhof«, »Wunschkonzert«, »Wildwechsel« – kurze Stücke, deren naturalistisch gradlinige Konstruktion die gesellschaftliche Abhängigkeitsstruktur vorwiegend in den Randgruppen der Gesellschaft abbildet. Ihre sozialpsychologischen Effekte übertrug Kroetz aus der Wirklichkeit auf die Bühne, aus seinen Erfahrungen mit Menschen in seine

Figuren. Prinzipiell charakterisiert diese Abhängigkeitsstruktur, daß dumpf empfundene Unterdrückung eine Ableitung dieser Unterdrückung auf noch weit Abhängigere bewirkt, weil zur sprachlichen, argumentierenden Auseinandersetzung mit den Unterdrückern die Fähigkeit, und das heißt ganz konkret: die Ausbildung fehlt. Diese Unfähigkeit zur rationalen Auseinandersetzung bildet Kroetz im mangelhaften Sprach- und Artikulationsvermögen seiner Figuren ab, in einem künstlichen Dialekt und in Handlungen, die brutal, lieblos, voller Gewalt sind – in dieser Gewalttätigkeit kommt die Ohnmacht zum häufig tödlichen Ausbruch.

Mitleidstücke hat man Kroetzens Theater zeitweilig abschätzig genannt. Zu Unrecht. Denn Kroetz operierte nicht mit dem Mitleid – seine Stücke riefen es als selbstverständliche Reaktion hervor. Und vor allem versah Kroetz die von ihm auf die Bühne gestellten Grundprobleme des abhängigen Lebens nicht mit ideologischen Scheinlösungen – er zwängt ihnen keine positiven Perspektiven auf. Kroetz artikulierte unmittelbar den Aufschrei des leidenden Menschen: »Ich glaube, meine Bedeutung und meine Aufgabe liegen im Verständnis des Menschen, und zwar ziemlich im Grundsätzlichen. So wie der Mensch sein soll, so wie der Mensch geboren wird, so wie der Mensch gedreht wird, wie der Mensch von der Gesellschaft deformiert, geschädigt und gemacht wird – diesen Widerspruch aufzuzeigen zwischen dem, was ist, und dem, was sein könnte innerhalb der menschlichen Qualitäten, die immer auch politische, gesellschaftliche sind, das, glaube ich, tut not, und ich glaube, daß das auch meine Mission als Dramatiker ist und sein wird. Das andere muß ich anderen überlassen. Ich will keine Streikberichte schreiben.«

## 14

Für die Literatur der sechziger und siebziger Jahre läßt sich kein ähnlich gemeinsames Selbstverständnis ausmachen wie zur Erfolgszeit der »Gruppe 47«. Ingeborg Drewitz stellte 1973 fest: »Die literarische Produktion in der Bundesrepublik ist heute noch heterogener als vor zehn Jahren.«

Wie hätte denn dieses Selbstverständnis auch beschaffen sein können? Nach soviel Zertrümmerung, nach so durchdringender Denunziation von Literatur und Kunst durch die junge radikale Linke? Mußten da nicht die Schriftsteller wieder von vorn anfangen: bei sich selbst, bei ihren eigenen Erfahrungen in ihrer unmittelbaren Umgebung, in ihrem Alltag?

Zu bewältigen war die Wirklichkeit einer kalt gewordenen Welt. Der ebenso hitzige wie eloquente dogmatische Aktionismus der sich zunehmend ausdifferenzierenden und schließlich zersplitternden, immer wirklichkeitsferneren linken Glaubensgemeinschaften hatte diese Welt auch nicht wärmer gemacht. Aber sie hatten der Poesie ihre identifikatorische und orientierende Kraft genommen, der Sehnsuchtsraum hinter der Realität war nun verschlossen oder leer, die Vision von einer neu gestalteten Zukunft war verflogen. Wenigstens schien die Metaphysik erledigt; die alten Autoritäten galten nicht mehr, der Muff war ihnen aus den Talaren geblasen worden – und nun stand man nackt da und ziemlich armselig, eine verlorene Generation, die plötzlich bemerkte, daß die Abwesenheit von Literatur und Kunst einen großen Mangel von Identitätsentwürfen bedeutete.

Peter Rühmkorf, der immer auf seiten der Vernunft Engagierte und politisch Wache, schrieb damals in seinem »Mailied für junge Genossin«:

(…)
zähl mir nichts von Kriem- und andern -Hilden;
lerne: davon läßt sich gar nichts lernen.
Steh nicht rum als wolltst du Salze bilden,
eine Druse, innerlich, aus Sowjetsternen.
Nein, ich rede keinen blöden Mist
und bin weder so-, noch sorum abzurichten:
Gestern Kommunist – morgen Kommunist,
aber doch nicht jetzt,
beim Dichten?!

Kunst als Waffe? – da sei Majakowskij vor!
Deibel, diese blutige Krawatte.
Dicker Danton, der den Kopf verlor,
als er seine Zähne noch beisammenhatte.
Daß der schöne Zweck die Leiden adelt?
Hepp! Applaus!
Unter uns: der Tannenbaum ist abgenadelt
und dein Über-Ich ein Kartenhaus.

# III Die Flucht aus der Gegenwart
## oder *Die Privatisierung der Literatur*

1.

Mit sich verändernder Zeit wandeln sich nicht nur die Schreibweisen, Stoffe, Themen und bevorzugten Genres der Literatur, sondern auch Ansichten und Argumente über die Literatur: Den einen, Schriftstellern wie Lesern, ist sie Fluchtort ihrer individuellen Probleme oder auch eine wesentliche, vielleicht sogar die einzige Möglichkeit, zu sich selbst zu finden – diese Schriftsteller lehnen es meist ausdrücklich ab, mit ihrer Literatur eine Art moralischer Krankenpflege der Gesellschaft zu betreiben. Andere sehen in der Literatur vor allem ein Medium zur politischen und gesellschaftlichen Veränderung. Aber die Thematisierung von Sozialkonflikten hat in einer Mediengesellschaft nur noch geringe, ja wahrscheinlich kaum noch Wirkungschancen, und eine *parteiliche* Haltung, wie sie der ›sozialistische Realismus‹ forderte, ist in einem demokratisch verfaßten Staat mittels Literatur seriöserweise nicht denkbar.

Für die einen, Schriftsteller wie Kritiker, schien Mitte der siebziger Jahre nach den Versuchen, Literatur und Kunst zu ideologisieren und politisch zu funktionalisieren, vorerst Ruhe in der literarischen Produktion (so hieß das einmal) eingekehrt zu sein. Sie dachten neu nach über Sinn und Funktion literarischen Arbeitens – Schreibens wie Lesens.

So lautete der Kern einer Bilanz, die das »Literaturmagazin« 1975 unter dem Titel »Die Literatur nach dem Tod der Literatur« gezogen hat: Der Verzicht auf Literatur und Kunst, der mit der zwanghaft intoleranten Politisierung der Kultur in den späten sechziger Jahren einherging, war vor allem auch ein Verzicht auf jene Hilfsmittel gewesen, mit denen man sich als Individuum zurechtfinden und definieren konnte: um sich und nicht nur die Welt zu verändern.

Auf andere wirkte diese Entwicklung beunruhigend, weil sie nun eine entschiedene Abwendung der Künstler und Schriftsteller von den Problemen der gesellschaftlichen Realität befürchteten. Denn, so der Kritiker Heinrich Vormweg rückblickend: »Für eine kurze Frist war die Hoffnung groß gewesen, jetzt endlich einmal werde literarische Progression einmünden in gesellschaftlich-politischen Fortschritt, würden beide sich wechselseitig stimulieren und durchdringen. All die Eruptionen zwischen ApO, Gründung des VS (Verbands Deutscher Schriftsteller) und Werkkreis Literatur der Arbeitswelt sowie individuellem politischem Engagement auf der einen Seite und einer die Sprache als praktisches Bewußtsein direkt und fordernd befragenden experimentellen Literatur auf der anderen, sie schienen – jedenfalls tendenziell – um 1970 auf einen gemeinsamen Nenner gebracht. Fast war es schon mit Händen zu greifen, was sich bezeichnen ließ als eine Summe der aufmüpfigen sechziger Jahre, die so viel Befreiung von längst überalterten Vorurteilen und so viele überraschende Entdeckungen und Neuerungen in der Literatur, aber auch in der Kunst, im Theater, im gesamten kulturellen Selbstverständnis gebracht hatten. Und dann, ganz unerwartet, nur noch ein immer weiter um sich greifender Katzenjammer.«

Es war jedenfalls die Zeit für Bilanzen, eine Epoche schien an ihr Ende gelangt zu sein. Auch Peter Rühmkorf zog Bilanz und versammelte 1972 »Anfälle und Erinnerungen« unter einem Titel, der ein letztes Mal die Gemeinsamkeit seiner Generation beschwor: »Die Jahre die Ihr kennt«. Da war auch zu lesen: »Nach den hochgespannten Hoffnungen, die wir an die Studentenbewegung geknüpft hatten, war der Sturz ins Kellerloch um so tiefer. Sah oben kein Licht mehr und nach vorn keine Aussicht, und so zog ich mich (wieder einmal) ins Privatleben zurück, zurück in die Klause, zurück zu den Büchern, zurück zur Kultur.«

Fast wie ein symbolischer Akt erscheinen da im Rückblick der Kanzlersturz von Willy Brandt zwei Jahre später und die Übernahme seines Amtes durch Helmut Schmidt: als Vorbereitung eines Paradigmenwechsel in der politischen Grundströmung, der dann zu Beginn der achtziger Jahre vollzogen wurde und den einige aufmerksame Kulturkritiker schon bald nach dem Amtsantritt Schmidts gewittert und formuliert haben.

Brandt hatte es verstanden, mit den Intellektuellen umzugehen, sie anzusprechen und ihnen zuzuhören. In ihm schienen Politik und Kultur, Macht und Moral versöhnt. Ihn hatten die Schriftsteller bei seinem vornehm und offen geführten Kampf um die Macht unterstützt. Helmut Schmidt hingegen fiel als Dialogpartner für die Intellektuellen aus. Er verkörperte die Macht als Macher und war für die Kultur und für jene Fragen, die Willy Brandt stets virulent gehalten hatte, nicht zuständig: Kultur und Politik fielen wieder sichtbar auseinander. Und die Intellektuellen zogen sich zurück.

Martin Walser ging weiter in seinem Urteil und meinte schon damals, einen »großen Rutsch nach rechts« zu erkennen, er kritisierte öffentlich, jeder Lyriker müsse nun beim Schreiben seiner Gedichte über »Innenministeraugenmaß« verfügen. Günter Grass zog sich aus der SPD-Wählerinitiative zurück, widmete sich wieder intensiver seinem zeichnerischen und schriftstellerischen Werk, begann die fünfjährige Manuskript-Arbeit am »Butt«. Seine Bilanz damals: »Ich beobachte bei jüngeren Autoren nach dem Studentenprotest, mit dem sie ihre prägenden Jahre erlebt haben, den von ihnen aus verständlichen Rückzug auf die eigene Person; nachdem sie sich, aufgrund ihres Alters und ihrer Erfahrungen, auch als Schriftsteller, zuerst ganz breit gesehen haben innerhalb der Gesellschaft und von Veränderungen bis hin zu revolutionären Zielen geträumt haben, kommt nun ein Zusammenschnurren, ein Zurückgeworfensein auf die eigene Person. Und solche Bücher wirken auf mich doppelt: Sie haben einen esoterischen, oft *l'art-pour-*

*l'art*-Bezug und sind dennoch Ausdruck, und in den besseren Büchern oft genauer Ausdruck, eines gesellschaftlichen Prozesses.«


2.


Tatsächlich war, als Reaktion auf diese Zeit, der gemeinsame Trend vieler Einzelpositionen in der Literatur der siebziger Jahre ein Subjektivismus, der mit einem deutlichen Hang zum autobiographischen Schreiben verbunden war: oft in Anlehnung an die subjektive Sensibilität eines Peter Handke, dessen Bücher bis hin zu »Die Stunde der wahren Empfindung« (1975) immer stärker den privaten Wahrnehmungsbereich transzendierten; aber auch orientiert an Hubert Fichtes Prosa aus den späten sechziger Jahren, die der gelebten Doppelmoral einer nach Spießermaß genormten Öffentlichkeit die aus ihr verdrängte Wirklichkeit des Kiez, der gesellschaftlichen Außenseiter, entgegenstellte.

Dieser autobiographische Subjektivismus kam, noch suchend, aus einer Privatheit, die keiner literarischen Vorgabe verpflichtet schien, auch in Karin Strucks »Klassenliebe« (1973) an die Öffentlichkeit; das Buch wurde von einem jüngeren Publikum begeistert aufgenommen als Versuch einer neuen und unmittelbaren literarischen Ausdrucksmöglichkeit, die das subjektive Empfinden authentisch vermittelte – hier deutete sich bereits an, was später mit »Verständigungstexten« die Literatur zu privatisieren begann. Und noch radikaler als Karin Struck präsentierte sich Herbert Achternbusch in seinen Büchern und Filmen als erfahrendes Subjekt, gab sich so als unverwechselbar Einzelner zu erkennen. Die Tendenz zur Privatheit auch hier.

Bald war auch der Trendname für diese neue literarische Orientierung des erwachenden ICH geboren: *Neue Subjektivität*. Aber was war neu an dieser *neuen Subjektivität*?

»Erfahrungshunger« hat Michael Rutschky seinen 1980 erschienenen großen Essay über die siebziger Jahre genannt, in dem er von der Sehnsucht einer neuen Schriftstellergeneration nach dem *ganz anderen* erzählt: Diese Autoren wollten mit ihrem Schreiben nicht mehr jene *erfundene Authentizität* herstellen, welche die Literatur der fünfziger und frühen sechziger Jahre charakterisierte, noch wollten sie erzählend weiterhin die bloß verdoppelnde Abschilderung von Wirklichkeit betreiben, noch auch die Propagierung politischer Parolen fortsetzen. Für diese Generation von Schriftstellern wurde das Schreiben ein ständiger Versuch, authentisch zu *leben*: Im Schreiben wurde Orientierung gesucht, Realität geschaffen, die sich zur Identifikation eignete. Nicht die Welt sollte ergriffen, umarmt und literarisiert, sondern der eigene Erfahrungshunger im Schreiben gestillt werden. Auch die Adressaten dieses Schreibens waren von vornherein als Gleichgesinnte ausgemacht: Die Literatur dieser Generation entwickelte sich wie aus einer ›Lebenskommune‹ heraus, richtete sich aus der Szene, der man angehörte, an die Szene; für sie wurde ein Erfahrungsraum erschrieben, der als gemeinsamer Erfahrungsort bereits zur Verfügung stand, aber im Schreiben noch bezeichnet werden mußte: *Hier ist ein Ort für Dich.* Das neue Ich war ein *Gruppen-Ich.* Und sein Ton oft jener der Wohngemeinschaften. Die Larmoyanz, die in diesem Ton meist mitschwang, war bloß das Ergebnis der Angst, ausgeschlossen zu werden aus dieser empfindsamen Gemeinsamkeit.

3.

Ein Schriftsteller, auf den sich diese neue Generation bezog, der wie selbstverständlich und zugleich herausgehoben dazugehörte und wie ein Magnet ihrer neuen Bewußtheit wirkte, war Nicolas Born. 1972 erschien sein Gedichtband »Das

Auge des Entdeckers«: Es »sieht sich selbst (: dich und mich) als außengesteuerte Objekte des Tatsächlichen, aber auch als fremdartige Wesen, die mit Hilfe von Träumen, Phantasien und Wünschen aufbrechen in eine neue Dimension menschlichen Lebens« – erläuterte Born den Titel programmatisch für sich und seine Generation schon auf dem Umschlag.

Eines der zentralen Gedichte dieses Bandes heißt »Im Innern der Gedichte«:

> Du kannst nicht davon leben
> > mit der Wirklichkeit zu konkurrieren
> noch kannst du von der Wirklichkeit leben
> aber du kannst einen Eingriff überleben
> > und alles zurück kriegen
> > und durch Das Leben gehen
> > durch schnell verfallende Bilder
> das warst du
> > du und Das Werdende Leben
> Personen keuchend unter ihren Grabsteinen
> > > > Mit einer ungeheuren Anstrengung
> > von dir und allen Vorfahren
> > blendest du dich aus
> Land und Wasser sind geblieben
> der Himmel ist geblieben
> > und du bist geblieben
> du hast dich auf nichts einzurichten
> kleine Sonnen erleuchten deine Demokratie Und
> du wählst das Leben und den Tod
> du hast viele Schöne Stimmen
> du bist Viele
> deine Haut ist deine Haut Und endlich
> > nichts als Haut
> du bist der Unternehmer des Lebens
> > der Veranstalter weißer Erscheinungen
> du bist der RaumMensch im Freien
> > der Autor des Laufs der Geschichte

du bist imstande Zeit zu drucken wie Bücher
du wiegst und siebst und liebst Und im Wind
    wehen die Ruinen der Diktatmaschinen
die Unvernunft steht in voller Blüte
du bist die Blüte und die Unvernunft
du bist Tag und Nacht bei Tag und Nacht
du bist der Mörder
    kreisend in der eigenen Blutbahn
du bist Vater und Sohn
du bist der ausgeschlachtete Indianer
    und der registrierte Indianer
du bist alle Farben und Rassen
du bist die Witwen und Waisen
du bist die Rebellion der Gefangenen
du bist Geheul ohne Aufenthalt
    Messerwürfe Schüsse
du bist der phantastische Sportler der TraumMeilen
    der Bildersturm im Haupt der Demokratie
du bist der Sprengmeister aller Ketten
du bist die geheim leuchtende Parole
    die Banderole
    die Avantgarde der FreiKüchen
du bist Mensch Und
    Tier wenn es den Tod fühlt
du bist allein und du bist Alle
du bist dein Tod und du bist der Große Wunsch
du bist der Plan den du ausbreitest Und
du bist dein Tod

Ein großer Wurf nach den kleinen, aber entscheidenden Dingen: Vergewisserung des Ich beim Lauf durch »schnell verfallende Bilder«; Abstand gegenüber dem Vergangenen und allem Gegenwärtigen, das noch im Vergangenen wurzelt; das »Auge des Entdeckers« steckt in den Gedichten, erkundet mit ihnen die Welt neu, die der Autor benennt: mitleidend mit allen, die gegen die alte Welt rebellieren: »Sprengmeister aller Ketten«. Das »du bist Viele« meint

nicht mehr die Walsersche Dividualität des Anselm Kristlein, dieser Figur der fünfziger Jahre, nicht also die Zerrissenheit des modernen, bis zum Schmerz arbeitsteiligen Bewußtseins in der gesellschaftlichen Konkurrenz des Überlebens-
kampfes, sondern das Ich als bewußt seiner Gemeinschaft
gehörendes Ich, als DU im Geflecht von WIR-Beziehungen,
es meint, noch einmal, den Stallgeruch der Wohngemeinschaften, die gegen die Elternhäuser errichtet wurden. Die
doppelte Realität (und Moral) der fünfziger Jahre: das (autoritäre) Reden und Verhalten in der Familie und das (demokratische) Reden und Verhalten in der Öffentlichkeit, war
mit kulturrevolutionärer Radikalität überwunden worden.
Nun galt es, die neuen Trennungen zwischen dem politisch
motivierten, gerichteten und scheinobjektiven Schreiben
und dem privaten, eklektischen und subjektiven Erfahren
aufzuheben. Es sollte keine Voraussetzungen mehr geben,
die den Ort, an dem sich das Subjekt aussprechen konnte,
abgrenzten.

Da artikulierte sich eine neue Generation. Die meisten
jungen Autorinnen und Autoren, die ihr angehörten, begann-
nen mit ihrem Schreiben bei sich selbst: Da die Väter ihnen
das Gespräch über die Vergangenheit im »Dritten Reich«
verweigerten, schrieben sich die Töchter und Söhne diese
Gespräche selbst; da die Eltern sich mit ihren autoritären
Erziehungsprogrammen der fünfziger Jahre nicht erklärten,
setzten sich die Erzogenen nun schreibend damit auseinander; da ihre Beziehungen oft sprachlos zerbrachen, schrieben
die verlassenen Partner darüber und wurden Schriftsteller.
Diese Erfahrungen autoritärer Erziehung, die Auseinandersetzungen über das Scheitern erster Beziehungen und Ehen,
die Distanzierungen von Müttern und Vätern, die belastet
waren von ihrer Mitläuferrolle im »Dritten Reich«, aber auch
die Erlebnisse während der Studentenrebellion und – eher
selten noch – die Ereignisse des Terrorismus in der Bundesrepublik: Das waren mehr oder weniger die Themen, mit
denen sich viele junge Autoren befaßten, die sich in den siebziger Jahren als Schriftsteller etablierten.

Neben und nach Nicolas Born unter anderem F. C. Delius, Peter Schneider, Hugo Dittberner, Hermann Kinder und Jürgen Theobaldy, Ludwig Fels, Elisabeth Plessen und Verena Stefan, Hermann Peter Piwitt, Wilhelm Genazino, Helga M. Novak – die Reihe der Namen könnte noch gut um zwei Dutzend vermehrt werden. Sie alle haben in ihrer Literatur im wesentlichen ihre neuen und ganz und gar eigenen, von niemandem übernommenen Erfahrungen mit und in der bundesrepublikanischen Gesellschaft formuliert. Obgleich ihre individuelle Literatur auch ihre besondere Botschaft enthielt, war doch den meisten eines gemeinsam: Sie wollten dem Leser, indem sie ihm ihre eigenen Erfahrungen vermittelten, zu jenem subjektiven Bewußtsein verhelfen, aus dem sie selbst ihre eigene neue, in ihrer Literatur sich äußernde Identität bezogen. Sie alle favorisierten eine Literatur, die nicht mehr nur wie ein autonomer Schein über der Gesellschaft liegt. Und sie wollten sich auch nicht mehr, wie die Nonkonformisten der sechziger Jahre, in die Politik einmischen oder gar sich von deren Regeln leiten lassen. Sie wollten sich selbst – und nicht vermittelt über andere, auch literarische Vorbilder – finden und sich definieren als ICHs *im* WIR, als Individuen in dieser Gesellschaft, aus der sie ja stammten, sie wollten mit dem, was sie schrieben, an ihrem Alltag teilnehmen – und nicht nur ihre Feste feiern.

In diesem Sinne hat Jürgen Theobaldy, dessen Gedichtband »Blaue Flecken« 1974 einer Poesie des Alltags gewidmet war, seinerzeit geschrieben, das Gedicht müsse Abschied nehmen vom »dichterischen Sehertum«: »Die Lyriker sollten ihre Gedichte wieder hineinnehmen ins alltägliche Leben, das die meisten doch leben, sie sollten die Gedichte wieder heranführen an die scheinbar profanen Probleme, die daraus entspringen, an die Gegenstände, die sie Tag und Nacht umgeben; (…) der Lyriker setzt seine Person ein, legt die sinnlich erfahrenen Nöte offen, auch als Voraussetzung für gesellschaftliche Umwälzungen, die schließlich nicht deshalb stattfinden sollen, damit sich ein paar marxistisch-leninistische Lehrsätze empirisch beweisen lassen.«

Das galt nicht nur für die Lyrik. Und – dies nebenbei – auch nicht nur für die Literatur im herkömmlichen Verständnis. Denn Theobaldys Forderung nach einer solchen literarischen Praxis benannte nur, was bereits vielerorts, jedenfalls ansatzweise, verwirklicht wurde. Es entstanden damals gleichsam viele Literaturen, durch Basisarbeit geförderte Zielgruppenliteraturen (für Gefangene, Homosexuelle usw.), in denen gruppenspezifische Probleme gesellschaftlicher Außenseiter artikuliert wurden. Nicht über Theorie, sondern nun durch das Schreiben fast mehr noch als durch dessen verwertbares Ergebnis, die Literatur, sollte das Bewußtsein von Mitgliedern gesellschaftlicher Randgruppen erweitert werden. Zahllose Verständigungstexte wurden produziert und sogar publiziert – wer das alles las, mußte den Eindruck gewinnen, die Psychoanalytiker hätten ihre Akten geöffnet. Das Hinschreiben von Literatur wurde gleichsam zu einer Art aufgeklärten Volkssports. So wurde zwar tendenziell jeder ein Schrift-Steller. Viel ist von diesem Geschriebenen als ›Literatur‹ nicht geblieben.

Vor allem aber gab es mit einem Male eine Literatur, in der sich Frauen erstmals deutlich als Frauen absetzten von der ›männlichen‹ Literatur: 1975 schrieb Verena Stefan mit dem autobiographischen Buch »Häutungen« und 1976 Elisabeth Plessen mit dem Roman »Mitteilung an den Adel« eine bewußt feministische Literatur und feierten erste, allerdings eher dem Zeitgeist als literarischer Qualität geschuldete Erfolge.

4.

Aber auch einiges andere, was damals entstanden ist, hat sein Gewicht behalten, obgleich ihm der große öffentliche Erfolg versagt blieb. So veröffentlichte im selben Jahr, in dem Jürgen Theobaldys das Bewußtsein der neuen Literatengeneration benennender Gedichtband »Blaue Flecken« erschien, Hugo Dittberner seinen ersten Roman »Das Internat. Papiere vom Kaffeetisch«. Er erzählt, autobiographisch grundiert, von der formierenden Gewalt einer Internatserziehung in den fünfziger und frühen sechziger Jahren: Wie ein Knabe gegen die bedrängende Erwachsenenwelt mit Hilfe von Lektüre, Film und Rock'n Roll zu einem Ich findet, das wie notwendig zu einem schreibenden Ich wird. Er lieferte damit das andere mögliche Paradigma einer Generation, die gegen die doppelte Moral der überkommenen Zeitmuster nicht die auf Verallgemeinerung basierende politisierende Handlung, sondern, wie am auffälligsten und erfolgreichsten Peter Handke, das subjektive literarische Beispiel stellt.

Auf die Prägungen der deformierenden Erziehung antwortete Dittberner mit generationstypischen Gegenbildern: Seine Romane bis hin zu »Geschichte einiger Leser« von 1990 erzählen vom Scheitern hochfliegender Ideen und verteidigen die Rückzüge auf wirklich lebbare, von Vertrauen und Zutrauen getragene Existenzen in der Provinz – nicht aus Resignation, sondern voller Sehnsucht nach Aufrichtigkeit.

Die Fluchtorte dieses Erzählens und die mit ihnen verbundenen Selbstfindungsprozesse bezeichnen einen Impuls, der sich durch das gesamte Werk Dittberners zieht und den er damals auf eine Formel brachte, die, jenseits des Schlagworts von der *Neuen Subjektivität*, am deutlichsten die Hoffnung für die Zeit nach dem antiliterarischen und antikulturellen Kahlschlag markierte: »Das Erzählen, das Schreiben, die Kunst als Refugium« – als »lebendigen, menschlich-ambivalenten, aber geschützten Ort, wo wir uns entfalten können« – aber eben nicht als Idylle. Dittberner, der in einem Dorf wohnt, weiß, daß zum Beispiel das Dorf als Refugium nicht Idylle ist, sondern Ort unmittelbarerer menschlicher Konfrontation.

Davon handeln auch seine Erzählungen in »Draußen im Dorf« (1978). Darin werden unspektakuläre Ereignisse und liebenswert-verschrobene Charaktere entfaltet und oftmals labile, den Tücken des Alltags ausgesetzte Menschen aus ihrem mühsam aufgebauten oder nur eingeredeten Gleichgewicht gebracht. Plots und Pointen haben diese Erzählungen eher nebenbei. Sie gleichen *short stories*, in denen die Ereignisse auf längere Verläufe schließen lassen, heraus aus der Vergangenheit und hinein in eine mögliche, denkbare Zukunft. Ihr Realismus ist nicht von einer allwissenden Position geerbt, deshalb bleibt er oft skizzenhaft; denn er bietet keine Antworten an, sondern hilft, Fragen zu stellen. Das hat diese Generation wieder gelernt.

Auf eine Umfrage des »Literaturmagazins« aus dem Jahre 1987 – »Warum sie schreiben wie sie schreiben« – hat Hugo Dittberner geantwortet: »Ich gehöre dieser Generation an, die so alt ist wie die Atombombe. Ich bin bewußt geworden mit den Protesten der Ostermarschierer; fast auf den Tag genau mit dem Aufstand in Ungarn 1956 bin ich ins Internat gekommen. Die allgemeine Furcht vor dem Atomtod verblaßte trotz der Bilder von ›Hiroshima, mon amour‹ vor den Möglichkeiten, uns gegen gesellschaftliche Verhältnisse zu wehren, diese Verhältnisse zu unseren Gunsten zu verändern und dann Frieden herzustellen. Irgendwie war das alle bedrohende Unheil des Atomtods ein Verhängnis der Wissenschaft, das man in die Endspiele der Literatur abdrängen konnte. Die Gesellschaft und wir in ihr waren anderswo. Becketts Paradigma erschien mir, als ich anfing zu schreiben, exquisit, als literarisches Nonplusultra: es war eine Reifeprüfung, das laut lesen zu können – aber es war ferner, wirklichkeitsentrückter als Brechts literarische Versuche, gesellschaftliche Veränderung vorzuführen, und die poetischen Protokolle der Beats von ihrem Lebensgefühl unterwegs. Als müßte es möglich sein, mit der offenen Form die offene Zukunft zu gewinnen.«

Offenheit, Öffnung – das könnten die Wörter sein zur Charakterisierung wesentlicher Teile der Literatur in den siebziger Jahren: Die Wiederentdeckung des Ich und seine Öffnung für Selbsterfahrung und Lebensalternativen ist sicherlich eines ihrer zentralen Motive. 1977, zehn Jahre vor dieser Antwort Dittberners, hat Helmut Heißenbüttel ein »TEXT + KRITIK«-Jahrbuch mit dem Titel »Offene Literatur« programmatisch so eingeleitet: »Öffnung heißt (…) zuerst einmal Unbefangenheit gegenüber Alternativen, in Kenntnis der Alternativen. Öffnung heißt ebenso, nicht festgelegt sein. Öffnung heißt Offenhalten der Möglichkeiten, die für die Auseinandersetzung vorhanden sind. Offen sein in der Form der Literatur heißt dann, nach innen, in bezug auf die Selbsteinsicht, Selbstentdeckung ohne Vorbehalt, wie nach außen, in der sozialen und politischen Diskussion, uneingeschränkt formulieren. Heißt aber auch, dies tun nicht in Anklammerung an vorgegebene Muster, sondern ausprobierend, was der heutige Stand der Redeweisen und der Kommunikation hergibt (…). Offene Literatur, das soll kein neues Schlagwort sein, sondern die Kennzeichnung einer Situation. Zu dieser Situation gehört die konkrete historische Einsicht, daß offenbar die Zeit der repräsentativen Stile und Programme, die Zeit der linearen Entwicklung, in der eine Richtung sich aus der anderen herauslöst, vorbei ist.«

Helmut Heißenbüttel widersprach damit jener eingeschliffenen Vorstellung eines Fortschrittsautomatismus, die rückblickend dem Sturm und Drang die Klassik, dieser die Romantik und ihr wiederum den Realismus zwangsläufig folgen läßt. Aber schon Goethe war Stürmer und Dränger, Klassiker und im Spätwerk auch Romantiker. Und gegen Ende des 19. Jahrhunderts schrieben Autoren zur gleichen Zeit naturalistische, realistische, symbolistische Literatur, ein Dramatiker wie Ibsen hat Stücke hinterlassen, die allen drei Richtungen zuzuordnen sind. Noch mehr aber ist für das 20. Jahrhundert mit seiner immer schnellerlebigen Zeit die Gleichzeitigkeit der Stile charakteristisch, und schon gar für die gegenwärtige Literatur: Vieles ist da möglich (freilich noch nicht ganz im Sinne des ›postmodernistischen‹ *any-thing goes*) und fließt mit im großen Strom der zeitgenössischen Schreibweisen, ja macht diese literarische Lebendigkeit erst aus – und was in hundert Jahren als das Bleibende aus unserer Zeit genannt werden mag, interessiert heute nur Kritiker, die sich als Richter der Literatur aufspielen, nicht jene, die sich als Vermittler empfinden im literarischen *Gespräch*, womit die Beziehung zwischen Autor und Leser seit jeher am treffendsten benannt ist.

Die Offenheit, für die Heißenbüttel 1977 plädierte, war ein sinnvolles ›Programm‹, weil nur im Ausprobieren der unterschiedlichsten Schreibweisen literarische Freiheit und Individualität in der Auseinandersetzung mit der Wirklichkeit sich konstituieren. Das mag etwas schlicht klingen, hatte aber für die deutsche Literatur der siebziger Jahre seine besondere Bedeutung, weil nach dem Kunstvorbehalt und der Todeserklärung für die bürgerliche Literatur in der kulturrevolutionären Phase diese Freiheit erst wieder errungen werden mußte: ICH zu sagen und individuelle literarische Formen zu erproben.

5.

Die Schwierigkeiten dieses künstlerischen Selbstverständigungsprozesses lassen sich am Beispiel der Lyrik (hier nur fast unerlaubt grob) skizzieren: »Und ich bewege mich doch« hat Jürgen Theobaldy 1977 eine Anthologie mit Gedichten »vor und nach 1968« genannt – sie führt vor, wie schon seit 1965 das *schöne Gedicht* abgelöst wurde von Texten, die seinen *schönen Schein* ironisieren und gegen die Erhabenheit von lyrischem Gegenstand und Ton Umgangssprache, Alltagsthemen und prosaisches Sprechen setzten. Die »Schmutzflecken« beim Entstehen von Gedichten sollten, so forderte damals Walter Höllerer, nicht eliminiert, sondern ausdrücklich beibehalten werden, um den Produktionsprozeß beim Schreiben von Gedichten durchsichtiger zu machen. Vermittelt vor allem durch Rolf Dieter Brinkmann, nahm die Lyrik die Töne der amerikanischen Beat-Literatur auf. Dann erklärte gegen Ende der sechziger Jahre Hans Magnus Enzensberger das Gedichte-Schreiben für eine private Angelegenheit – und immer zahlreicher wurden jene Texte, in denen nicht mehr ein individuelles ICH sich artikulierte, sondern formlos politische Schlagworte der Zeit aneinandergereiht wurden.

Bis zur Mitte der siebziger Jahre gab es von jungen Autoren relativ wenig Gedichtbände zu lesen. Aber dann brach, um 1975, ein Damm: Die jungen Leute, die Schriftsteller werden wollten, schrieben vor allem Texte, die wie Gedichte aussahen, oft jedoch nur Prosa als Gehacktes waren.

1978 erschienen dreißig neue Gedichtbände, zum größten Teil erste Sammlungen junger Autoren; und in Hans Benders Anthologie »In diesem Lande leben wir« (1978) publizierten einhundertelf Gedichte-Schreiber, viele von ihnen unbekannt. Die Lyrik hatte plötzlich wieder einen Markt. Hans Bender schrieb im Nachwort zu seiner Anthologie: Sie »erscheint zu einem Zeitpunkt, da Gedichte – ihre Beobachter, Leser und Liebhaber versichern es – wichtiger genommen werden als früher.« Und er nannte die meisten Gedichte seiner Sammlung »Zeitgedichte und Erlebnisgedichte«: wobei Zeit und Zeitgefühl nicht mehr mit großer Geste ergriffen und demonstriert, sondern als persönliches und/oder alltägliches Erlebnis, bis zur Unentschlüsselbarkeit privat oder zur Banalität allgemein, formuliert wurden.

Nun hatte ja schon Emil Staiger einst in seinen »Grundbegriffen der Poetik« geschrieben: »Der lyrische Dichter leistet nichts. Er überläßt sich – das will buchstäblich verstanden sein – der Ein-gebung. (…) Sein Dichten ist unwillkürlich.« Könnte vielleicht eine Erklärung für die Masse der nach 1975 erschienenen lyrischen Ungereimtheiten sein, daß viele ihrer Verfasser nichts anderes leisteten als das, was Staiger 1946 als Innerlichkeitsgebot für den Lyriker formuliert hat? Freilich mit dem wesentlichen Unterschied, daß, was Staiger als unwillkürliches Ergebnis und lyrisches *Ereignis* bezeichnete, nun eher willkürliches Aufschreiben von Erfahrungen war? Aber nicht, um Mystifikation zu betreiben mit der

Aura des empfangenden lyrischen Schöpfers – sondern einfach, um sich wieder der Dinge zu vergewissern, die um einen herum ungewiß geworden waren; um ganz von vorn anzufangen mit Beschreibungen des Alltäglichen, spontan durchs Hirn Schießenden, des unverstellt Empfundenen. Das war nicht die Wiederentdeckung des strahlenden lyrischen ICH mit seinen großen Gesten und Gebärden, sondern der Versuch, sich mit literarischen Mitteln als Individuum zu definieren und in einer veränderten Welt zurechtzufinden.

Daß gerade viele weibliche Autoren zu diesem Lyrik-Boom beigetragen haben – und zur Literatur seit den siebziger Jahren überhaupt –, ist eines der vielen Symptome für die emanzipatorische Wirkung der Frauenbewegung, eine der wesentlichen – und überlebensfähigen – Folgen der 68er Bewegung. Wesentlich nicht nur deshalb, weil die Frauenbewegung vielen Frauen zu Selbstbewußtsein und einem neuen Selbstwertgefühl verholfen hat, sondern weil von ihr emanzipatorische Impulse ausgegangen sind, die auch so manche männliche Vorurteilshaltung – bis hinein in die Politik – aufgebrochen und den männlichen weibliche Perspektiven gleichberechtigt zur Seite gestellt haben.

6.

SPIELERISCHER EXKURS. Dieser *weibliche* Impuls scheint sogar Schriftsteller wie Grass, Böll, Walser und Johnson beeindruckt zu haben. Auffällig ist er jedenfalls: Denn in fast all ihren Büchern seit den siebziger Jahren rückten weibliche Figuren ins Zentrum, wurden Hauptfiguren oder aber kamen endlich gleichberechtigt neben ihre männlichen Partner zu stehen.

Uwe Johnsons zentrale Figur der »Jahrestage« ist Gesine Cresspahl; zuvor waren Jakob, Achim und Walter (Karsch) seine Helden. (Immerhin war Ingrid Babendererde sogar schon die Titelheldin seines ersten Romans, der freilich erst ein Jahr nach Johnsons Tod erschien.)

Heinrich Bölls »Gruppenbild mit Dame« ist die Geschichte der Leni Pfeiffer. Sein wohl folgenreichstes Buch der siebziger Jahre handelt von der Leidensgeschichte der Katharina Blum, und der Titel seines letzten Romans ist: »Frauen vor Flußlandschaft«. Und davor? »Wo warst du, Adam?« – »Haus ohne Hüter« – »Ansichten eines Clowns« – und auch »Billard um halb zehn«, »Entfernung von der Truppe« und »Ende einer Dienstfahrt« haben vor allem männliche Hauptfiguren.

In Martin Walsers Erzählwelt agieren zwar seit seinem ersten Roman »Ehen in Philippsburg« männliche Spielfiguren – bis hin zur 1985 erschienenen »Brandung«: Hans Beumann, Anselm Kristlein, Josef Georg Gallistl, Xaver und Gottfried Zürn, Franz Horn. Aber während in den »Ehen in Philippsburg« und in der Kristlein-Trilogie die Frauen den männlichen Helden vor allem Objekte sozialer und erotischer Interessen waren, spielte schon im »Sturz« von 1973 die Frau eine zwar selbstbewußtere, aber doch noch traditionelle Rolle. Ziemlich konventionell durchleben und -leiden auch Sabine und Helmut Halm im »Fliehenden Pferd« gemeinsam die forschen Attacken Klaus Buchs auf ihren *midlife*-erfahrenen Seelenhaushalt, während in der »Brandung« (1985) Sabine nur am Anfang und am Ende das seelische Gleichgewicht Helmuts austarieren darf, der dazwischen an einer kalifornischen Universität in eine platonische Liebesgeschichte mit einer Studentin gerät. Hier deutet sich schon die Rolle der Frau in ihrer lebenströstenden Funktion an. In den Zürn-Büchern »Seelenarbeit« (1979) und »Das Schwanenhaus« (1980) altern die Frauen schließlich hinein in ihre Matronen-Rolle: In ihren Armbeugen erwachen am Anfang der Romane die männlichen Helden nicht selten, um am Schluß, wenn sie aus ihren verlorenen Konkurrenzkämpfen beschädigt nach Hause kommen, wiederum von ihren Armen tröstend umfangen zu werden. Und »Die Verteidigung der Kindheit« (1991) zeigt ihren Helden Alfred Dorn endlich ganz unter dem sein Ego verheerenden, durchaus selbstgewählten und unentrinnbaren Einfluß matriarchaler Weiblichkeit.

Günter Grass schließlich, im »Butt« aus dem Jahre 1977, holte aus grauer Vorzeit die dreibrüstige Aua herauf, Urmutter alles Weiblichen und damit auch all jener Köchinnen, die durch die Jahrhunderte für die Ernährung der Menschheit sorgten. Und Ilsebill war ihm jene treibende weibliche Kraft, die der männlichen Selbstzufriedenheit mit spitziger Aggressivität auf den Leib rückte, um immer noch mehr und mehr Hauptfigur zu werden.

Doch der Butt war noch ein männliches Tier, Urvater aller männlichen Weisheit. 1986 besetzte dann, überdeutlich weiblich akzentuiert, die Rättin den Titel eines neuen Buchs, und sie behält darin auch das letzte, wirklich allerletzte Wort.

Man könnte für diese *Feminisierung* der Hauptfiguren bei jedem Autor sicherlich besondere Gründe zu Tage fördern. Deutlich wird aber auch so, und ich stelle das hier nur *en passant* fest, daß die emanzipatorische Bewegung der Frauen selbst bei männlichen Autoren sichtbar zu Buche geschlagen ist.


7.


Aber noch auf andere Weise sind manche der älteren Autoren mit ihrem Werk der sich verändernden Zeit nach 1968 gefolgt.

Martin Walser hat das Kabinett seiner literarischen Spielfiguren seit Beginn der siebziger Jahre erheblich erweitert: Sie alle sind Träger unterschiedlichster, aber stets autobiographisch gefärbter Stimmungen in einer Reihe von Romanen und Erzählungen, die auf ihre Weise eine Art Geschichtsschreibung des bundesrepublikanischen Alltags betreiben:

Anselm Kristlein, das belegte 1973 »Der Sturz«, war an der Konkurrenzgesellschaft der fünfziger und sechziger Jahre schließlich gescheitert. Ein Jahr zuvor, 1972, hatte Walser in der »Gallistl'schen Krankheit« Josef Georg Gallistl an die Seite der kommunistischen Partei geschickt, um dort für ihn eine neue Solidarität zu erproben – die bürgerliche Kritik hat dem Autor Walser diesen Versuch, eine parteiliche Solidarität zu gewinnen, übelgenommen und ihm seine Erzählung als DKP-Prosa um die Ohren geschlagen. Walser reagierte darauf 1976 mit dem Roman »Jenseits der Liebe«, in dem der Angestellte Franz Horn den Abhängigkeitsstrukturen kapitalistischer Hierarchie schmerzhaft ausgesetzt wird. Franz Horns Versuch, dem Leidensdruck durch Selbstmord zu entfliehen, mißlingt. Auch dieser Roman fand keine Gnade bei der bürgerlichen Kritik. Erst zwei Jahre danach, mit Sabine und Helmut Halm im »Fliehenden Pferd«, hatte er den Stoff und jenes Personal gefunden, an dem sich auch Probleme einer intellektuellen Mittelschicht der siebziger Jahre vorführen ließen. Mit der Zürnfamilie – dem Chauffeur Xaver Zürn aus »Seelenarbeit« und dem Häusermakler Gottlieb Zürn aus dem »Schwanenhaus« – standen an der Wende zu den achtziger Jahren dann auch jene Spielfiguren bereit, mit denen sich der kleinbürgerliche Überlebenskampf dieser Zeit ironisch und, wie stets bei Walser, eloquent inszenieren ließ.

In »Dorle und Wolf« (1987) hatte er sich bereits dicht an das Thema der deutsch-deutschen Teilung herangeschrieben. In seinem nächsten, wieder sehr voluminösen Roman »Die Verteidigung der Kindheit« (1991) arbeitete er schließlich die gesamtdeutsche Mentalitätsgeschichte seit 1945 auf: bezeichnenderweise an einer ziemlich autistischen, jedenfalls nicht ganz normalen Figur (aber was ist schon *normal?*) – erstmals folgte Walser in diesem Buch nicht mehr den eigenen Stimmungen, sondern produzierte einen allzu bemühten Roman aus dem Archiv anderer, fremder Herkunft.

Walsers Werk folgt dicht den Bewegungen der Zeitläufe und markiert deutlich die verschiedenen Positionen, die auch der Bürger Walser in seiner politischen Entwicklung absolviert hat. Er hat sich am entschiedensten und bewußt den Bewegungen des Zeitgeists ausgesetzt und beansprucht heute – zu Recht oder Unrecht, das mag ich nicht entscheiden –, mit seinem Werk eine Geschichtsschreibung des bundesrepublikanischen Alltags geliefert zu haben.

## 8.

Wenn Günter Grass in seinem Roman »Der Butt« die Geschichte von der Begegnung des jungen Barockdichters Andreas Gryphius mit dem älteren Dichter, Poetiker und diplomatischen Agenten Martin Opitz erzählt – dann wird der Leser mit einer Erfahrung bekanntgemacht, für die es in der deutschen Nachkriegsliteratur kein zutreffenderes Beispiel gibt als eben ihn: Günter Grass. Da wirft nämlich der Jüngere, Gryphius, dem Älteren, Opitz, vor, er habe seine Kraft politisierend vergeudet und der Diplomatie gegeben, was er der Poeterei schuldig geblieben sei. Der ähnliche Vorwurf, daß er nämlich sein schriftstellerisches Talent zugunsten politischer Einmischung vernachlässigt habe, begleitet den Autor Günter Grass, seitdem er sich, wechselnd gestimmt, aber stets in kritischer Solidarität, für die Sozialdemokratische Partei engagiert hat.

Dabei hat auch Grass nur aus der Geschichte gelernt und erstmals 1972 im »Tagebuch einer Schnecke« durch die Hereinnahme aktueller Problemlagen ins Erzählte seine Schreibweise deutlich verändert. Sein Erzählen wurde offener, vielschichtiger, auch reflexiver – und deshalb riskanter. In einigen Kapiteln des »Butt«, die von Gegenwart handeln, setzte sich diese multiperspektivische Annäherung an die vielschichtige Wirklichkeit fort. Und die »Kopfgeburten« (1980) riskierten völlig das skizzenhaft umreißende, nur anreißende Erzählen, probierten Perspektiven wie Filmeinstellungen aus.

Auch die »Rättin« (1986) ist eine opulente Erzähl-Orgie: maßlos in ihrer barocken Virtuosität, ironisch in der karikierenden Opposition zum larmoyanten Postmodernismus, detailbesessen und gleichzeitig umfassend im Zugriff auf die gängigen Themen der Gegenwart, deren trübe Zukunftsaussichten ihre Wurzeln in falsch gelebten Vergangenheiten haben.

Trotz ist ein Grundmotiv der »Rättin«, oder anders auch: Selbstbehauptung. Denn Grass' vielspuriges Erzählen ist Gegenanerzählen zum einen und barocke Predigt und Levitenlesen zum anderen. Sein Erzähler, dem ja nur die Sprache zu Gebote steht, um sich zur Wehr zu setzen gegen die Katastrophenstimmung, die ihn umgibt, *muß* erzählen und *kann nur* erzählen, um jenen Untergang der Menschheit aufzuhalten, von dem die Medien voll sind, von dem die Rättin ihm berichtet. Die Rättin ist sein Gegenpart, ist das in die drohende Zukunft hinein verlängerte Sprachrohr der Stimmung um ihn herum: Durch sie, die im Traum ihm erscheint, redet die menschliche Resignation ihn an, spricht von der Vergeblichkeit aller Vernunft. Das Abbild der späten siebziger und der frühen achtziger Jahre mit Nachrüstung und Friedensbewegung, mit dem beginnenden politisierenden Individualismus und Fundamentalismus ist in diesem Buch aufgehoben.

Grass erzählt vom Kampf eines Erzählers gegen die Vernichtungsphantasien, die sich im Gerede der Rättin verfestigen – jener Rättin, von der er träumt: Von des Erzählers Traumata also ist die Rede. Und gegen diese Traumata – vom Untergang des Menschengeschlechts, der droht, weil die »Erziehung des Menschengeschlechts«, von der Lessing träumte, seit der Aufklärung mißlingt – setzt Grass die Sprachlust und Sprachwut seines Ich-Erzählers: als einzige Möglichkeit der Literatur, mit ihren ureigensten Möglichkeiten zu überleben.

»Die Rättin«, obgleich als Erzählwerk umstritten, ist ein sehr markantes typisches Buch der achtziger Jahre – vor allem auch ein Buch übers Erzählen, in dem Grass als

Schriftsteller an der Grenze seiner Wirkungsmöglichkeit operiert und, indem er sich in seiner historisch gewordenen Rolle in Zweifel zieht, sich gerade dadurch noch einmal erzählend zu behaupten versucht. Eine uralte Formel der so in Frage geratenen Schriftstellerexistenz in dieser Zeit steckt in dieser Figur: *credo quia absurdum*.

Und so heißt es denn auch in einem der zahlreichen Gedichte, die in den Strömen dieser Prosa stehen:

> Was erwarte ich dennoch?
> Stottern und aus dem Text fallen.
> Liebste, daß wir uns fremd sind,
> zuvor nie gewittert,
> daß du mich durchlässig machst
> für Wörter, die winseln und quengeln.
> Nicht Hofferei mehr, Häppchen für Häppchen,
> keine Pillen und gleichrunde Glücklichmacher,
> Ängste aber vorm leeren Papier.

9.

Wieder einmal, wie vierzig Jahre zuvor, wird eine *tabula rasa*-Situation beschworen, nun aber nicht mit dem Blick zurück, sondern mit dem Blick in eine vielfach gefährdete Zukunft. Das Wissen um diese Gefährdung und um deren wesentlichsten Grund – die offensichtlich unaufhaltsame Zerstörung der Natur durch die räuberische Geschäftigkeit der den Planeten übervölkernden menschlichen Rasse – erzeugte eine Katastrophenstimmung, die in den achtziger Jahren vielfältig formuliert wurde, nicht nur von Grass und nicht nur in der Literatur. Möglicherweise in Reaktion auf so manche literarische Produktion aus dem Geiste dieses, zynisch nur als saisonal begriffenen Katastrophismus antwortete in den späten achtziger Jahren eine literarische Kritik, die nun jegliches gesellschaftskritische Engagement der Literaten, sogar noch nachträglich, verwarf. Vor allem Günter Grass – gleichsam der Repräsentant einer engagierten Schriftstellerexistenz und »in seiner Rolle als Mahner mittlerweile wie ein Zitat« wirkend – hat dies nach Veröffentlichung seiner »Rättin« spüren müssen.

Eine Literatur schien an ihr Ende gekommen zu sein, deren realistische und phantastische Darstellungsmittel die Wirklichkeit nicht mehr trafen: Sie käute nur noch wieder, was ohnehin schon in aller Munde war.

Dennoch verkörpern Martin Walser, der die Gebärden der Zeit stets überzeugend zu offerieren verstand und dem mit seiner Sehnsucht nach der deutschen Vereinigung ein Volltreffer gelang, und Günter Grass, der skeptisch vor ihr warnte, zusammen mit vielen anderen Autoren und Kritikern gegenüber den nachgeborenen Schriftstellern noch immer jene fast unüberwindlich scheinende Phalanx von Literatur, die mit dem Gütesiegel »Gruppe 47« versehen und deshalb gleichsam sakrosankt erscheint. Mehr noch als deren Bücher aber, und eindrucksvoller sogar auch als Heinrich Bölls Werk, ragen die »Jahrestage« (1970-1983) von Uwe Johnson und »Die Ästhetik des Widerstands« (1975-1981) von Peter Weiss wie Monumente einer untergegangenen Zeit in die neunziger Jahre hinein, ja sie eigentlich eröffnen die Perspektiven einer künftigen Literatur und setzen ihr die Maßstäbe. Noch immer steht fast alles, was die jungen Schriftsteller seit Mitte der siebziger Jahre geschrieben haben, im Schatten dieser Autoren und ihrer Werke und unterm Urteil der alten Kritiker. Selbst Nicolas Born, freilich auch er noch ein junger 47er, und Rolf Dieter Brinkmann, mit denen doch noch zu rechnen war, sind fast schon vergessen.

Zuweilen klagten in den achtziger Jahren jüngere Schriftsteller, die freilich auch schon in den frühen fünfziger Jahren geboren wurden, über die immer noch beherrschende Rolle der, kurzgefaßt: »Gruppe 47«-Literatur. Andererseits bekundeten ältere Autoren und Kritiker, und zwar meist solche, die der »Gruppe 47« einmal angehört haben, daß nach den neuen kruden und dilettantischen Aufbrüchen in den siebziger Jahren eine nennenswerte Literatur in den achtziger Jahren kaum entstanden sei: Hans Magnus Enzensberger zum Beispiel in seinem Rundumschlag gegen die Lyrik der achtziger Jahre schrieb: »Doch selbst die bescheidene deutsche Nachkriegsliteratur kommt einem, gemessen an dem, was heute der Fall ist, geradezu glanzvoll vor: Eich und Bachmann, Bobrowski und Celan, Rühmkorf und Jandl ...«

Und in der Literaturbeilage der »Frankfurter Allgemeinen Zeitung« vom 2. Oktober 1990, also am letzten Tage der alten Bundesrepublik, stand unter einem groß aufgemachten Bild, das die »Gruppe 47« bei einer Tagung in Berlin zeigt, der Satz: »Bis zuletzt und ungeachtet aller Veränderungen wurzelte die Identität des Landes in den Texten des Jahres 1960.«

Wohl kaum in den nonkonformistischen Texten, die inzwischen so pauschal wie falsch als Produkte einer nachträglich installierten »Gesinnungsästhetik« abgeurteilt und einer angeblich falsch verlaufenden Literatur-Geschichte zugeschrieben wurden. Immerhin haben viele ihrer Autoren, von denen die meisten nicht mehr leben, diese Texte einmal mit ihrer Existenz beglaubigt: aus ihrer eigenen unmittelbaren Erfahrung des »Dritten Reichs« und des Krieges heraus und gegen eine Gesellschaft, die ihr schreckliches Erbe nicht annehmen und verarbeiten wollte, sondern weitgehend verdrängt hat. Diese Autoren sind ihrer auf sie gekommenen moralischen Verpflichtung trotz aller Veränderungen und Relativierungen, gegen die Infragestellungen ihrer Maßstäbe und trotz der Todeserklärungen ihrer Literatur zumeist treu geblieben – Relikte einer vergangenen Zeit; aber vielleicht hat gerade deshalb ihre Literatur überlebt. Mag sein, daß diese historische Situation ihre Literatur und auch das öffentliche Interesse, das sie gewann, begünstigt hat, wie Hermann Kinder schreibt: »Die Bedeutung der Literatur der ›Gruppe 47‹ hat Bedingungen der Homogenität gehabt, die historisch nicht wiederholbar sind: die feste Einbindung der Literatur in den Meinungsbildungsprozeß und einen oppositionellen Konsens, der sich aus der Ablehnung obsoleter Mentalitäten, insbesondere der mangelnden Überwindung des faschistischen Erbes ergab.«

Man könnte auch sagen: daß diese Generation als Generation eine historische Aufgabe zu bewältigen hatte, weshalb ihre Literatur noch immer so übermächtig ist in ihrer Vielfalt und als historischer Komplex, und daß jeder, der in den siebziger Jahren zu schreiben begann, sich die Aufgabe, die er damit bewältigte, erst noch erfinden mußte. Der Generation, die nach den Irritationen der sechziger Jahre anfing zu schreiben und die nun die Literatur der achtziger Jahre eigentlich durch eine eigene Praxis zu definieren hätte, fehlten die gesellschaftlichen Widerstände, die schreibend vielleicht zu überwinden gewesen wären. Außerdem wurde sie in eine Wohlstandsgesellschaft hineingeboren, gegen die sie sich nur schwer zu wehren vermag.

Wogegen sollte diese Generation denn auch anschreiben? Oder wofür? Und aus welch halbwegs homogener Übereinkunft sollte sie Maßstäbe entwickeln, deren Notwendigkeit und Verbindlichkeit einem Publikum einsichtig wären, das von anderen Medien viel schneller informiert und viel nachdrücklicher unterhalten wird? Hermann Kinder in seiner Analyse kommt zu dem Schluß: »Marginalisierung, Partialisierung, Werteänderung, Medienkonkurrenz: Für die heute Schreibenden stellt sich das Problem, daß sie nicht mehr aus gesicherter Übereinkunft über die Relevanz der Literatur und über ihre Art schöpfen können. Sie müssen die Begründungen für ihr Tun je selbst setzen. Die einst gewährte Aura der Literatur ist futsch. Die Normen vorausgehender Literatur können nicht mehr fraglos unterstellt werden. Die Neue Unübersichtlichkeit ist nicht das Ergebnis versagender Generationen, vielmehr die Konsequenz eines Prozesses, welcher der Literatur manches an Legitimationen und Funktionen genommen hat. Und es scheint mir müßig, wieder eine repräsentative und leitbildhafte Literatur zu fordern. Wir haben keine homogene Literatur mehr, nicht die Bedingungen hierfür.«

## 10

Da ist jener Begriff von Jürgen Habermas, der in den achtziger Jahren umging und diese Jahre bezeichnete: *Neue Unübersichtlichkeit* – er benannte die schwierige Erkenntnis über das Unberechenbare der politischen und kulturellen Lage, der Hans Magnus Enzensberger das hübsch treffende Epitheton »Püree« gegeben hat: für ein neues *juste milieu,* nur noch schattenhaft wahrnehmbar wie Bewegungen hinter einer Milchglasscheibe – genau hinschauen kann, soll, darf man nicht. Zugleich lieferte Habermas' Formel den kritischen Gegenbegriff zum Zauberwort der achtziger Jahre: *Postmoderne,* mit dem alles möglich wird, was es schon einmal gab – sogar die Sache hinter dem Begriff selbst. Denn im Grunde begann der ›Postmodernismus‹ gegen Ende der zwanziger Jahre, als die letzte literarische Avantgarde, der Expressionismus, sich aufgelöst hatte und einige seiner Autoren bei den Nazis, andere bei den Kommunisten unterkrochen. (Auch dies ein Beleg für das postmoderne Leer-Programm vom *anything goes*?) Damals waren, jedenfalls in der Literatur, alle formalen und ästhetischen Aspekte durchprobiert; und fast alle formalen und ästhetischen Aspekte in der deutschen Literatur seit 1945 waren und sind Reprisen; freilich mußten sie, als neu aufgelegte Moderne, gegen den etablierten Traditionalismus erst wieder durchgesetzt werden.

1964 hatte der konservative Soziologe Arnold Gehlen das *post-histoire* so beschrieben: »Der technische Fortschritt und die biologische Entwicklung unter dem Druck des Industriesystems sind eingetreten in die unabsehbare Endlosigkeit, und daraus allein folgt der Zwang, die Epoche, in der wir leben, in ihrem wesentlichen Schwerpunkt als das *post-histoire* zu bezeichnen, als nachgeschichtliches Stadium, so wie es im echten Sinne ein vorgeschichtliches gab. (…) Dazu gehört, daß sich die Kunst aus den gesellschaftlichen Zusammenhängen ausgliedert und sich in einem utopisch-autonomen Gebiet ansiedelt (…).«

Diese Sätze hatte 1966 Karl Markus Michel im »Kursbuch« noch als blanke »Metaphysik« zurückgewiesen. Damals wurde ja die Literatur noch zur Waffe im gesellschaftlichen Kampf geschliffen. Als diese Kämpfe dann vorüber und verloren und die Wortwaffen, mit denen sie bis zum Unverstand geführt wurden, stumpf und unbrauchbar geworden waren, als sich die ICHs wieder mühsam zu definieren begannen, da stellten sich neben beziehungsweise gegen das »Kursbuch« andere Zeit-Schriften: darunter 1978 etwa das »Konkursbuch«, das mit diesen programmatischen Sätzen begann: »Nicht, daß der Konkurs noch bevorstände; wo heute noch Masse ist, ist nur noch Konkurs-Masse; was heute verwaltet wird, liegt in den Händen von Konkurs-Verwaltern. Einige davon versuchen die erbärmliche Restmasse, mit der sie hantieren, zum Explodieren zu bringen, daß wenigstens der Untergang programmiert und perfekt sei und uns nicht zufällig überrasche … Nichts von ›Irrationalismus‹! – Nur: die tödliche (?) Erkrankung der Vernunft an den giftigen Pfeilen der Macht- und Einheits-Kategorien, die sie in die Welt schoß; die Vernunft als Selbstmörderin.«

Solch verquastes Denken, das seither durchaus Konjunktur hat, antwortet mit dem Kehraus der Vernunft auf Verhältnisse, in denen technische Rationalisierungen ein Heer von Arbeitslosen produzieren, in denen Politiker mit scheinbar rationalen Argumenten sich über lebensentscheidende Probleme hinweglügen: damals stärker als heute, obgleich heute nicht minder gefährlich, die Aufrüstung, immer noch die Atomenergieproduktion, vor allem aber die immer umfassendere Umweltzerstörung in den meisten Bereichen industrieller Produktion – samt und sonders Probleme, die einer vernünftigen Handhabung und Meisterung entgleiten, weil die Politik nicht mehr politisch handelt, sondern politisches Handeln nur noch vorgibt, es im (Schön-)Reden darüber bloß simuliert.

Aber solches ›Denken‹ antwortet in Wirklichkeit nicht auf die immer unübersichtlicher werdenden Verhältnisse der so fragwürdig gewordenen modernen Welt, arbeitet sich nicht daran ab und konterkariert schon gar nicht die Simulation der Politik, sondern ahmt sie nach, indem es Denken abgelöst von der Wirklichkeit simuliert: Es meidet (wie der Nichtwähler die Wahl) die Auseinandersetzung ebenso wie eine Entscheidung, hält sich aus allem heraus, was es mit dem Schmutz der Wirklichkeit in Berührung bringen könnte. Solches ›Denken‹ ist im gehlenschen Sinn »Kunst«, ist »autonom«, wirklichkeitsfern (und so entwickelte sich die bundesrepublikanische Gesellschaft der achtziger Jahre luxurierend in die gesellschaftliche Veranwortungslosigkeit hinein). Das ›postmodernistische‹ Denken gibt vor, eine fehllaufende Moderne außer Kraft setzen (nicht einmal korrigieren) zu wollen – und regrediert doch nur: Es springt vor den Erkenntnisstand der Aufklärung zurück, die der menschlichen Vernunft als Instrument der Wirklichkeits-erfassung und -bearbeitung wenigstens ansatzweise zum Durchbruch verholfen hat. Einen Rechtsstaat zum Beispiel gäbe es ohne die Aufklärung nicht.

Kein Zweifel, daß die moderne, technologisch überfrach-tete Industriegesellschaft den Menschen immer mehr seiner selbst entfremdet. Aber können technische Rationalisierung, die politische Verwendung pseudorationaler Argumente und propagierte Sachzwänge der menschlichen Vernunft negativ vorgerechnet werden? Wird da nicht mit einem fehllaufen-den Derivat von Vernunft operiert? So, wenn der Soziologe Gerd Bergfleth im »Konkursbuch« apodiktisch dekretiert: »Die Befreiung kann also nicht über die Vernunft laufen, weil die Vernunft nur eine Entfremdung durch die andere ersetzt.«

Sind Rationalismus und Rationalisierung – obzwar wur-zelverwandt mit *ratio* – denn identisch mit *Vernunft*? Ich vermag *Vernunft* nicht der dienstbaren *Intelligenz* von Profi-teuren und Verbrechern gleichzusetzen – und also zu opfern. Zu fragen ist vielmehr: Aus welchen Gründen soll Vernunft erst fragwürdig gemacht und dann ausgeredet werden? Weil sie den Menschen verantwortlich bindet, engagiert? Und verpflichtet auf Gemeinsinn, der eben nicht gemeiner Sinn ist? Weil Vernunft nach Maßgabe ihrer Verächter den Menschen in seiner spielerischen angeblichen Freiheit beengt?

Bergfleth entgeht den beengenden Strukturen der Realität so: Befreit, also »mit dem Weltganzen verbunden bin ich, indem ich in mir außer mir bin, und soweit ich die Selbstlosigkeit in mir verkörpere, soweit erfahre ich auch die Weltlosigkeit der Welt –: die Grundlosigkeit des Ganzen, das Nichtsein inmitten allen Seins, das alles Seiende und vor allem den Menschen dazu treibt, außer sich zu sein. Im Außersichsein schwindet die Grenze zwischen Innen und Außen, und besonders das Außen ist nicht mehr außerhalb, da ich es ja selbst bin: kosmisches Organ der fernsten Ferne, mit der ich mich vermische. *Die Nacht kommuniziert mit der Nacht.*«

Das ist poetisierende Mystik als romantische Flucht: Aussteigerprosa. Die gesellschaftliche Utopie von einem menschlichen Leben in Freiheit, Würde und Verantwortung hat darin keinen Ort mehr – das Ich entweicht in die Nacht des Alls, bindungslos. Ein Amorphem als »Anarch«?


II.


Der ›Postmodernismus‹ als gesellschaftliches Phänomen, so hat Hermann Glaser einmal gesagt, befasse sich nicht mit dem *Sein*, sondern mit dem *Design*: Er poliert die Oberflächen. Das, was darunter geschieht, die konkrete Realität, interessiert ihn nicht: Der Schein bestimmt das Bewußtsein. Der Postmodernismus arbeitet mit Bildern, Symbolen und Gleichnissen, die nichts zu tun haben müssen mit dem, wofür sie angeblich stehen. Sie bedeuten, sofern sie denn überhaupt etwas bedeuten, nur sich selbst, stellen nur sich selbst dar, sind die perfekte Inszenierung ihrer selbst: ihrer Glätte, ihrer Schönheit, ihres Glanzes, die freilich leer sind. Sie überstrahlen die häßliche Realität mit einem immer bunteren, schillernderen Schein: Sie errichten über der Wirklichkeit die schnell wechselnden Kulissen, in denen die unter Sinnverlust leidende, abgehetzte und gleichwohl gelangweilte Gesellschaft ihr Leben genießt und nicht wissen will – und soll –, was hinter den Kulissen vor sich geht.

Deshalb fehlen auch die großen politischen Debatten in Deutschland: über die Vereinigung, über die Verfassungsreform, über die Neubestimmung der Bundeswehr und den notwendigen industriellen Strukturwandel. Die Öffentlichkeit unterhält sich lieber mit der Bereicherungsmentalität ihres leitenden Personals. An der zukunftsweisenden und zukunftsvernichtenden Wirklichkeit aber, die ohnehin keiner mehr durchschaut, sind die amorphisierten Individuen nur noch insofern interessiert, als sie – und wenn sie – von ihr unmittelbar betroffen werden. Denn dieser Gesellschaft ist mit dem Sinn auch der Gemeinsinn abhanden gekommen, ja ausgetrieben worden in den Jahren der materialistischen Selbstbefriedigung unter dem Dreiergestirn Reagan, Thatcher, Kohl. Diese Gesellschaft ist zersplittert in zahlreiche Interessengruppen, die sich rücksichtslos durchzusetzen versuchen. Aber auch der durch Interessen definierte Individualismus in dieser Gesellschaft ist nur bloßer Schein, ein Oberflächenphänomen. Noch die insgeheim vorhandene Sehnsucht nach Konsens, die in dieser Gesellschaft steckt, wird nur von Surrogaten befriedigt.

Die Ideologie hinter der Produktion dieser Surrogate ist der ›Postmodernismus‹. Ihre Handlungsanweisung: Simulation. Ihre Wirkung: die bewußte oder unbewußte Rechtfertigung des öffentlichen Lügens. Ihren zerstörerischen Ausdruck findet diese Simulation in der Politik; ihn transportieren, prolongieren und verstärken die Medien. Ihre spielerische Form wird in Kunst und Literatur hergestellt, oft nur aus zweiter Hand: Entwürfe ohne existentielles Echo.

Woher sollte ein solches Echo denn auch kommen? Der Hedonismus in der Gesellschaft wie in Kunst und Literatur, der sich, als Metapher und Gestus ihres ästhetischen Bewußtseins, noch in der inzwischen auch schon wieder verschlissenen Seidenhemden-Kultur der SPD-Führer abbildet, ist die resignative Notwehr gegen die bittere Erkenntnis ehemals sozial und politisch Engagierter, Politiker wie Schriftsteller, daß die utopische Energie verbraucht ist.

Über vieles mag man einfach nicht mehr entschieden weiter- und nachdenken, weil sonst das unabwendbare Ende der Geschichte, das im *post-histoire* beschworen und im ›Postmodernismus‹ gefeiert wurde, wirklich erkannt werden könnte, und das, obwohl mit dem Zusammenbruch der zweiten, der ehemals sozialistischen Welt die Geschichtsbücher doch wieder geöffnet wurden. Aber da liest man über den noch leeren Seiten schon immer nur denselben Kolumnentitel: Nach uns die Sintflut. In solchem Bewußtsein läßt sich noch mit einer gewissen mentalen Freude auf dem Vulkan tanzen: Das Prinzip *L'art pour l'art* hätte denn endlich seine *raison d'être* gefunden. – Und die verbreitete Mentalität der Bereicherung vielleicht ihren instinktiven Ausdruck als individuelles Überlebenstraining?

12.

»Postmodernes Schreiben gibt sich so intim, wie dies ein Personal Computer eben zuläßt. Sein Ziel heißt: Schreibhygiene; sein Mittel: Textverarbeitung. Über den Umfang eines kompilierten Romans entscheidet die Speicherkapazität des elektronischen Systems. – Nach seinen Beweggründen gefragt, sich schreibend zu betätigen, antwortet der postmoderne Schriftsteller prompt: Es war Zitierlust, nichts weiter. (…) Postmoderne Welterfahrung ist kaleidoskopisch; zu ihr gehört die Fiktionalisierung der Geschichte (etwa in Form von Biographien über erfundene *historische* Persönlichkeiten wie in Hildesheimers *Marbot*) und die vielfältige Brechung des Autobiographischen. (…) Enzyklopädien pflegt der Postmodernist vor dem Gebrauch zu schütteln.«

Rüdiger Görners satirische Anmerkung reduziert das ›postmoderne‹ Schreiben auf einen technischen Prozeß, der die Beliebigkeit zum Prinzip macht: Wer seinen Computer mit genügend Textmasse gefüttert und mit Sprache und literarischen Versatzstücken zu jonglieren gelernt hat, wer sich mit einer kompliziert formulierten Poetologie auf die komplexen und kaum zu widerlegenden, weil schwer zu durchschauenden modernen Schreibweisen beruft, vorzüglich auf Collage-Verfahren der bildenden Kunst und die Cut-Technik des Films, der produziert mit Leichtigkeit serielle Literatur, nämlich Literatur in Serie. *Anything goes* – alles ist möglich, alles ist erlaubt: Es gibt nach ›postmodernistischer‹ Lesart weder allgemein geltende Grundsätze noch den Anspruch auf intersubjektive Maßstäbe überhaupt. So kann sich das schreibende Subjekt, wie es sich zahlreich in den siebziger Jahren konstituierte, als autonome Institution setzen und gegenüber jeglicher Kritik für unanfechtbar ausgeben – dieses Subjekt ist als Schriftsteller genau jener Homunkulus, den die ›postmoderne‹ Ideologie als Künstler inszeniert. Dieser Typus Schriftsteller glaubt, als tautologisches Ergebnis eines Dekrets seiner selbst, nur noch an sich selbst (eine Haltung, die bei Ernst Jünger zu lernen ist).

Und er liefert sich selbst auch die Theorie, die er mit den höchsten Ansprüchen an den Leser und den geringsten an sich selbst versieht: »Die postmoderne Literatur setzt den universellen Leser voraus; sie zieht ihn in die Intrigen einer totalen Zeichensprache, auf deren labyrinthische Zumutung er selbst die Antwort geben muß. Statt ihn mit Theorien und Welterklärungen zu befriedigen, erzählt sie ununterbrochen Spielvorschläge, die variiert, abgebrochen, aber auch erweitert werden können. Postmoderne Literatur geht nur da ›auf‹, wo sie in postmodernes ›Verhalten‹ umgesetzt wird. Dieses liest die Zeichen der Lebenswirklichkeit (die Umwelt) ebenso als Signale wie die des literarischen Entwurfs. Die typische Figur des postmodernen Romans ist daher entweder der Detektiv (Eco) oder der Lebenskünstler, der sein Lebensspiel in laufend verändertem und auf neue Bedingungen reagierenden Programmen fortsetzt (Cortázar).« Hingegen habe die »Moderne«, so der erzählende Germanist Hanns-Josef Ortheil in seinem Aufsatz über die »Literatur der Zukunft«: »Das Lesen – ein Spiel«, »das Kunstwerk für Experten« hervorgebracht, »hermetisch« und »dicht« und so *überladen* und *ausgereizt*, daß es bis »zum völligen Verstummen hin erschöpft« sei. Deshalb müsse nun eine andere Literatur geschrieben werden.

Ortheil nennt die postmoderne Literatur die »Literatur des kybernetischen Zeitalters«, welche die Modelle der Moderne in »Spiele höherer Ordnung überführt«, die »dem Leser die entscheidende Arbeit zumuten«. Das ist schön formuliert, es klingt wie die prinzipielle Eröffnung jenes Gesprächs zwischen Autor und Leser, das auch ich für die ideale Form der literarischen Kommunikation halte.

Die Realität der postmodernen Literatur (denkt man zum Beispiel an Autoren wie Pynchon und Coover) sieht freilich bei deutschen Autoren meist ganz anders aus. Sie ist, gemessen an diesen amerikanischen Autoren, auch nicht *postmodern,* sondern einfach *beliebig:* Ortheils Bücher selbst sind für die Unerfüllbarkeit des von ihm propagierten ›postmodernen‹ Schreib-Programms übrigens der beste Beweis. Ortheil wie zunehmend auch sein Germanisten-Kollege Gerhard Köpf (um nur diese beiden hier für eine der beliebten Schreibweisen der achtziger Jahre zu nennen) produzieren eine biedermeierlich anmutende Plauderliteratur, die sich, ohne jegliche erkennbare ›postmoderne‹ Konturen, chronologisch oder willkürlich assoziativ vor sich hin wälzt, voll wichtig daherkommender Schein-Erkenntnisse, die aber aus zweiter Hand gewonnen sind und entweder aus anderer Literatur oder, wo es sich um zeitgeschichtliche Fakten handelt, offenbar aus dem Fernsehen stammen (jedenfalls dessen Tonfall haben): Sekundär-Literatur. Das einzig Authentische an solcher Literatur sind Notizen über Reisen, die ihre Verfasser auf Einladung des Goethe-Instituts unternommen haben.

Solche Schriftsteller beuten den literarischen Fundus bloß

noch aus, ohne ihm irgend etwas Eigenes hinzuzufügen (und verhalten sich zu den Nachgeborenen so wie die ausbeutende Generation gegenüber der ihr nachfolgenden). Sie begnügen sich damit, die angelesenen Versatzstücke zu polieren wie die selbstzufriedene Hausfrau die angestaubten Nippes auf dem Vertiko. Oder wie Ulla Hahn ihre klassizistisch parfümierten Gedichte, Christoph Ransmayr seine gefällige Prosa (in »Die letzte Welt«, 1988). Und die vielen unbekannten, die – postmodern oder nicht, jedenfalls unter solchem Signet – ihre Beliebigkeitspoetik vor sich hin treiben: ihr vorgefundenes und bereits mit Bedeutung aufgeladenes, ja überladenes Sprachmaterial auf eine Weise organisieren, die blendend beeindruckte; da zählt der Stil mehr als jegliches Argument.

Aber auch Patrick Süskind und Umberto Eco lassen sich noch für solche Areale postmodernen Bewußtseins und Verhaltens reklamieren. In ihren weltweit gelesenen oder wenigstens verbreiteten Bestsellern »Das Parfum« (1985) und »Der Name der Rose« (1982) simulieren sie, immerhin einigermaßen unterhaltsam, Geschichte, wo doch nur *FantasyFiction* ist: schwarze Romantik. Auch sie sprachlich perfekt (aber was heißt das dann noch?), glatt, un(an)greifbar. Und wer will, so er sich vergnügt, schon nachprüfen, was an Ecos eingeblendeten historischen Reflexionen, die eine eigene Anthologie mittelalterlichen Denkens hergeben, eigentlich in der historisch richtigen Dimension steht; hier, im ersten Roman jedenfalls, scheint es zu funktionieren; aber eben auch nur dort, immerhin (und in »Das Foucaultsche Pendel« vier Jahre später schon nicht mehr – und das Desaster seines weniger postmodernen als eklektizistischen Schreibens, dessen, was der PC eben so hergab, ereilte Eco schließlich mit seinem dritten Roman »Die Insel des vorigen Tages«, 1995).

Geschichtlich fundiert, aus Realität, ihrer Anschauung und Erfahrung gewonnen ist solche Literatur nicht; sie gibt auch keine Verweise auf die Wirklichkeit, in der sie entstanden ist – im Gegenteil, sie meidet sie, flieht in eine Metarealität und will von einer Bindung der Literatur an die Realität bewußt nichts wissen. Sie kommt aus keiner Wut, etwas verändern zu wollen in einer Welt, in der die Ausbeutung der Bestände Verhaltensnorm ist; denn sie selbst verhält sich ja ausbeutend – diese Literatur, so sehr sie auch ihre intellektuellen Hochsprünge beklatscht, vermittelt keinerlei existentielle Dringlichkeit. Sie dient bloß noch der Ablenkung von erdenschwerer Besorgtheit, ist eklektisch und spielerisch, ihr Genuß wird von der momentanen Laune des rezipierenden Individuums bestimmt, sie ist also weniger subjektiv als individuell im extremsten Maß – in ihr bildet sich ab die große Bewegung unserer Zeit: der Sprung aus der Verantwortlichkeit für unser Dasein, das wir schon längst nicht mehr in der Hand haben, die Flucht aus der Gegenwart ins Leere, der Sprung aus der Last in die scheinbare Lust.

War das einst stark kritisierte Wort dafür nicht Eskapismus?

13.

Einer, der seit Mitte der fünfziger Jahre bis heute schon immer etwas früher als alle anderen auf der Höhe der Zeit war und ihr dann rechtzeitig immer wieder entkam, wenn fragwürdig wurde, was er angezettelt hatte, ist Hans Magnus Enzensberger: Nonkonformist in den fünfziger, an der Spitze der Kulturrevolution in den sechziger, privatisierender Lyriker in den siebziger Jahren, hat er den postmodernen Eskapismus der achtziger Jahre überlegen und kritisch eingeläutet mit einem Gedicht, dessen Titel auch auf einem Buch steht, in dem er 1989 seine gesammelten sporadischen Arbeiten aus der Zeit zwischen 1970 und 1980 versammelt hat: »Der Fliegende Robert«:

> Eskapismus, ruft ihr mir zu,
> vorwurfsvoll.
> Was denn sonst, antworte ich,

bei diesem Sauwetter! –,
spanne den Regenschirm auf
und erhebe mich in die Lüfte.
Von euch aus gesehen,
werde ich immer kleiner und kleiner,
bis ich verschwunden bin.
Ich hinterlasse nichts weiter
als eine Legende,
mit der ihr Neidhammel,
wenn es draußen stürmt,
euern Kindern in den Ohren liegt,
damit sie euch nicht davonfliegen.

Das klingt zwar nach zynischer Rechtfertigung einer individuellen Entscheidung. Doch der allseits gescheit gegenwärtige Enzensberger macht damit zugleich auf die prinzipielle Widersprüchlichkeit der modernen Gesellschaften aufmerksam, denen kein noch so moralisches Engagement mehr beikomme. Er votiert gegen die Illusionen und Selbsttäuschungen einer Gesellschaft, die noch an die Vermittelbarkeit und Erfüllbarkeit ihrer Wünsche und Sehnsüchte durch eine sinnvolle Politik glaubt. Die kritische Vernunft, die in den sechziger Jahren den einst autoritären Konsens in Frage gestellt hat, um ihn durch einen aufgeklärten liberalen Konsens abzulösen, hat diese Individualisierung und Amorphisierung des gesellschaftlichen Bewußtseins selbst mit bewirkt, und sie hat deshalb heute kaum mehr eine Chance, mit ihrem *Denken* solchen Zuständen öffentlichen *Handelns* wirksam zu begegnen, indem sie die Täter von heute, wie jene damals, wenigstens in ihrem Denken verunsichert. Deshalb hat der *rigoros vernünftige* Aufklärer Jürgen Habermas zur Beschreibung dieser krisenhaft chaotischen Situation auch, etwas hilflos, den Begriff *Neue Unübersichtlichkeit* gewählt, während der postmoderne Oberflächen-Denker sich zur Widersprüchlichkeit dieses Chaos lustvoll bekennt.

Peter Sloterdijk in seiner »Kritik der zynischen Vernunft« (1983) hat den Intellektuellen und den Tätern der achtziger

Jahre ein postmodernistisches, quasi-philosophisches Argumentationssystem auf den Leib geschrieben, mit dem sich das Katastrophenbewußtsein dieser Zeit gut überleben ließ:

»Psychologisch läßt sich der Zyniker der Gegenwart als Grenzfall-Melancholiker verstehen, der seine depressiven Symptome unter Kontrolle halten und einigermaßen arbeitstüchtig bleiben kann. Ja, hierauf kommt es beim modernen Zynismus wesentlich an: auf die Arbeitsfähigkeit seiner Träger – trotz allem, nach allem, erst recht. Dem diffusen Zynismus gehören längst die Schlüsselstellungen der Gesellschaft in Vorständen, Parlamenten, Aufsichtsräten, Betriebsführungen, Lektoraten, Praxen, Fakultäten, Kanzleien und Redaktionen. Eine gewisse schicke Bitterkeit untermalt sein Handeln. Denn Zyniker sind nicht dumm, und sie sehen durchaus hin und wieder das Nichts, zu dem alles führt. Ihr seelischer Apparat ist inzwischen elastisch genug, um den Dauerzweifel am eigenen Treiben als Überlebensfaktor in sich einzubauen. Sie wissen, was sie tun, aber sie tun es, weil Sachzwänge und Selbsterhaltungstriebe auf kurze Sicht dieselbe Sprache sprechen und ihnen sagen, es müsse sein. Andere würden es ohnehin tun, vielleicht schlechtere. So hat der neue integrierte Zynismus von sich selbst oft sogar das verständliche Gefühl, Opfer zu sein und Opfer zu bringen. Unter der tüchtig mitspielenden harten Fassade trägt er eine Menge leicht zu verletzendes Unglück und Tränenbedürfnis. Darin ist etwas von der Trauer um eine ›verlorene Unschuld‹ – von der Trauer um das bessere Wissen, gegen das alles Handeln und Arbeiten gerichtet ist (…). Zynismus ist das *aufgeklärte falsche Bewußtsein.* Es ist das modernisierte unglückliche Bewußtsein, an dem Aufklärung zugleich erfolgreich und vergeblich gearbeitet hat.«

Sloterdijks Beschreibung ist – das charakterisiert den postmodernem Denken eingeschriebenen Zynismus – zwar kritisch und analytisch angelegt, aber selbst auch nur eklektizistisch begründet, also eigentlich nicht begründet, sondern beliebig variabel, austauschbar und kulissenhaft. Und gleichwohl lustvoll formuliert, süffig geschrieben – eine verführerische Regression.


14.


Figuren solcher Befindlichkeit, wie Sloterdijk sie skizziert, versehen mit den Stigmata der enttäuschten Generation der siebziger Jahre, hat Botho Strauß in Stücken wie »Trilogie des Wiedersehens« (1976) und »Groß und klein« (1978) eindrucksvoll auf die Bühne gebracht und in Erzählungen wie »Die Widmung« (1977) und »Rumor« (1980) mit großer Sensibilität beschrieben. Er ist der markanteste unter jenen Autoren, die, enttäuscht vom Scheitern der 68er Kulturrevolution, ihre Melancholie produktiv machten, ohne sich völlig noch von der gesellschaftlichen Realität abzuwenden. Doch die intellektuelle Stimmungslage am Ende der siebziger Jahre – eine Tendenz zum Rückzug aus der Öffentlichkeit, zur Isolierung in individuellen Bezügen, zur Künstlichkeit als Weltflucht – war auch schon in diesen frühen Theaterstücken und Erzählungen zu spüren und mag sogar den Erfolg von Strauß auf der Bühne ausgemacht haben, weil er einen gesellschaftlichen Nerv getroffen hatte.

Seit Beginn der achtziger Jahre, mit Prosabüchern wie »Paare, Passanten« (1981) und seinem Roman »Der junge Mann« (1984), hat sich Strauß dann immer mehr in eine ästhetizistische, der Wirklichkeit mit Ekel und Abkehr begegnende Haltung hineingeschrieben, die ihr Heil eher in der Rückbesinnung auf mythologische Konstrukte als in der konkreten Auseinandersetzung mit der immer komplexeren gegenwärtigen Welt sucht. So haben die meisten Figuren von Strauß mit der Wirklichkeit nur mittelbar zu tun, ihre Bewegungsräume sind künstlich-künstlerische, und die Position ihres Autors ist die des wirklichkeitsenthobenen Beobachters

– eine Position, die für die schriftstellerische Existenz etwa auch Ernst Jünger fordert, der mit zunehmendem Alter bei jüngeren Autoren immer beliebter wurde. Botho Strauß, nicht der damals vielgescholtene Peter Handke, ist der literarische Protagonist jener für die achtziger Jahre typischen Haltung, die Peter Sloterdijk »das modernisierte unglückliche Bewußtsein« nannte, »an dem Aufklärung zugleich erfolgreich und vergeblich gearbeitet hat«: der Autor als Spieler mit doppelter Buchführung, der sich – auch er, freilich auf überhebliche Weise, moralisierend – einerseits von der profanen Welt der Paare und Passanten absetzt und gleichzeitig noch einmal die ganze ästhetische und moralische Autorität der künstlerischen Moderne für sich zur Geltung bringen möchte.

Doch die Zusammenhänge gelingen immer weniger – seine Prosa zerfällt, löst sich auf, wird fragmentarisch. Auch darin kündigen sich romantizistische Strukturen an, in denen sich die Amorphisierung der modernen Gesellschaft abbildet. Da Strauß von seinen postmodernen Anhängern gern für diese neueste Richtung antiaufklärerischer Irrationalität reklamiert wird, mag er als Protagonist der Wendezeitkunst im letzten Jahrzehnt der alten Bundesrepublik gelten, einer zynischen Kunst, die sich von den aufklärerischen Mühen der Ebene abgewandt hat, um vom Söller des Elfenbeinturms auf die unwirtliche Erde hinabzusinnieren. Dabei wird die Gebärde seiner Schriften, in denen er die Öffentlichkeit, freilich nur aus großer Distanz, anspricht, präzeptoral und dekretorisch, ja herrisch. Darin steckt jener Widerspruch, der schon den Stückeschreiber charakterisiert: als Boulevard-Autor, der die Boulevards meidet.

Nicht nur die Position des wirklichkeitsenthobenen Beobachters, sondern auch den dekretorischen Gestus seines Schreibens scheint Strauß von Ernst Jüngers ›Autorschaft‹ geerbt zu haben. Dazu gehören unbedingt die Aversion gegenüber der Öffentlichkeit und die Weigerung, die einmal ›erlassenen‹ eigenen Dekrete offensiv argumentativ zu vertreten. Die verkündigte Botschaft muß genügen.

Von diesem Verkündigungs-Gestus ist die Schrift »Beginnlosigkeit« (1992) getragen: mit ihrem larmoyanten antiaufklärerischen Impuls (»Was für eine Welt, daß sich der Dichter noch der Anschauung hingeben durfte, um die Natur der Dinge zu ergründen!« – Frage: Was hindert ihn denn?) und ihrer regressiven Sehnsucht nach gültiger Metaphysik (»Wie lange erträgt man es zu wissen, daß nichts dahintersteckt …?«). Dieser Gestus, der von Ernst Jünger her im Ohr ist, durchstelzt vor allem auch den »Anschwellenden Bocksgesang« (1993).

Und Jünger – in »Refrain einer tieferen Aufklärung« – war schließlich Anlaß für Strauß, die gesamte Nachkriegsliteratur zu erledigen: Sie wird auf dem Altar der Ernst Jüngerschen ›Autorschaft‹ geopfert, eine würdige Gabe zum Hundertsten im März 1995. Nachdem Strauß eingangs zwei Jüngersche Gewährsleute und Zitatbrüche des voraufklärerischen 18. Jahrhunderts, Giovanni Battista Vico, den Begründer der spekulativen Geschichtsphilosophie, und Johann Georg Hamann, den »Magus des Nordens«, gegen die Aufklärer Kant und Descartes ausgespielt hat, kommt er in seinem Anderthalbseiten-Dekret schnell zur Sache: »Die Epoche der deutschen Nachkriegsliteratur wird erst vorüber sein, wenn allgemein offenbar wird, daß sie vierzig Jahre lang vom Jüngerschen Werk überragt wird. Er ist nach dem Krieg der Vergegenwärtiger, der Gegenwartsautor schlechthin gewesen. Zwar nicht im Sinne des kritischen Realisten, dafür auf eine magisch-schauende, immer prospektive Weise. Also befand er sich im Gegensatz zu den mehr oder minder begabten Nachläufern der epischen Moderne, die die literarische Szene beherrschten, den angeblich fabulöseren Autoren, deren großangelegte Romanwerke oft auf einem gesinnungstüchtigen und gedanklichen Gehalt gründeten, der sie mittlerweile, auf einen Schlag, zu ›historischen Schinken‹ werden ließ. Jünger hingegen hat täglich Geheimnisse entdeckt und genannt, doch keines verraten, das heißt: in jene gottverlassene Sprache transponiert, in der es sich nicht erhalten hätte.«

Damit ist das neue Traditions- und Identifikationsangebot verkündigt: Statt »gottverlassen« soll die Sprache (wieder?) *gottvoll*, statt »gesinnungstüchtig« und »gedanklich« soll der »Gehalt« der Literatur offenbar *gesinnungslos* und *gedanken-frei* werden. Und das Werk der Grass, Koeppen, Böll, Weiss, Johnson usw. wird als vom Werk Ernst Jüngers »überragt« »allgemein offenbar(t)« worden sein. Das erinnert freilich fatal an jene überkommenen Berufungen der literarischen Traditionalisten auf die *Rettung des Geistes, des Worts, der Dichtung*, denen schon in den zwanziger Jahren der Asphalt kein Ort für Dichtung war.

15.

In den Elfenbeinturm des Klassizisten hat sich auch Peter Handke in den achtziger Jahren begeben, von seiner sensiblen und lebendigen Selbsterfahrungsprosa der siebziger Jahre hat er sich weit entfernt. In seinen Büchern, beginnend schon mit »Langsame Heimkehr« (1979), ist viel vom Verharren, vom Aufhalten der Zeit die Rede – schon in den Titeln spiegelt sich dieser Trend gegen die verrinnende Zeit, die Lust auf den Stillstand oder gar das Ende der Geschichte: »Phantasien der Wiederholung« (1983) – »Gedicht an die Dauer« (1986) – »Die Wiederholung« (1986). Auch Handke, sprachlich sensibler und nicht so archaisierend regressiv wie Strauß, inszenierte seine Kunst als angebliche – und ausdrücklich so benannte – *Heil*kraft gegen die verderbende Wirklichkeit. Auch er baute seine Sprachkulissen vor einer Welt auf, die er am liebsten nicht mehr wahrnehmen würde – errichtete über ihr einen Schein von einsam genossener Schönheit, die er aus den Klassikern der Antike oder von Goethe und Stifter bezieht, und entwarf einen idealistischen Universalismus, der auf die mystische Zusammenschau der Dinge und auf die Gewinnung einer ganzheitlichen Lebensfähigkeit zielt. Auch hier schien die Ernst Jüngersche Sehnsucht nach einem »ungesonderten«, durch Aufklärung und Verstand *nicht* zerteilten Leben Übermacht zu gewinnen, eine Sehnsucht nach Mythos und Geschichtslosigkeit.

Doch dann erschienen mit »Nachmittag eines Schriftstellers« (1987) und zwischen 1989 und 1991 mit der Trilogie der »Versuche« – über die Müdigkeit, die Jukebox, den geglückten Tag – Bücher, die mit Handke wieder versöhnten: sensible Beschreibungen genauer Beobachtungen, ohne jenen Verkündigungscharakter, den sich seine Prosa angewöhnt hatte – Versuche, in denen er sich als Schriftsteller gefunden hat.

Gefunden nach einsamen Wanderungen durch die Welt, mit denen er den Ansturm einer verachteten Welt parierte. Handke ist, angesichts ähnlicher Empfindungen, die ja von manchen geteilt werden, nicht in larmoyanten Ekel und regressive Schuldzuweisungen verfallen wie Strauß, sondern setzte ihnen seine konkrete Erfahrungssuche entgegen, die sich in den genannten Büchern seit 1987 niedergeschlagen hat. Handkes Denken und Schreiben über die Welt – im Gegensatz zu ihrer kalten Beobachtung bei Strauß – drängt zur Synthese, was sich äußert in Gegen-›programmen‹ zum Hinlänglichen, aber als Literatur: Verteidigungen von *Anschauung* freilich auch hier, im Wechsel von Erinnerung und Vergessen.

Erinnert wird zum Beispiel an das verschüttete Glück, das sich an den kleinen Dingen fast mystisch zeigt, aber doch auch ›ergibt‹ (wie schon in »Die Stunde der wahren Empfindung«); erinnert wird zum Beispiel mit der Jukebox an untergegangene oder nur verschüttete Lebensräume, in denen sich unmittelbare Empfindung ausleben ließ; erinnert wird zum Beispiel an die Müdigkeit(en) als Zustände sozialer und mentaler Verfaßtheit: an gute und schlechte Müdigkeiten, an schöpferische und unfruchtbare: »Ich erzähle hier von der Müdigkeit im Frieden, in der Zwischenzeit. Und in jenen Stunden war Frieden, auch am Central Park. Und das Erstaunliche ist, daß meine Müdigkeit dort an dem zeitweiligen Frieden mitzuwirken schien, indem ihr Blick jeweils schon die Ansätze zu Gesten der Gewalt, des Streits oder auch nur einer unfreundlichen Haltung beschwichtigte? milderte? – entwaffnete, durch ein ganz anderes Mitleid als das verächtliche manchmal der Schaffensmüdigkeit: das Mitgefühl als Verständnis.«

Handke, das wird hier sehr deutlich, neigt auch zur Mystifizierung; doch sein mystisches Sich-Versenken zielt auf Selbst-Besinnung, auf Nachdenklichkeit, auf Konzentration des Einzelnen, hat Lebenshilfe-Charakter und neigt zur Geste des Heilen-Wollens. Das hat zur Folge, daß die Handke-Rezeption immer mehr zur Bildung einer Gemeinde gerät und Interpreten, die mit ihm grundsätzlich übereinstimmen, bei der Besprechung seiner Bücher eher zur Exegese als zur Kritik neigen.

Was besonders deutlich 1994 zu beobachten war nach Erscheinen seines typographisch zu über tausend Seiten gestalteten Buchs »Mein Jahr in der Niemandsbucht«, das von der Kritik geradezu hemmungslos und hingebend gefeiert wurde. Dieses dicke Buch wieder mehr als die davor erschienenen schmalen bezeugt, daß Peter Handke sich noch vehementer und von sichtbarer Überzeugung getragen seinem verkündigenden, mystischen, ja religiös intendierten oder doch zumindest so (miß)zuverstehenden Schreiben ergeben hat. Es ist auch darin Summe seines Schreibens seit »Die Stunde der wahren Empfindung« von 1975 – das immer mehr zu einer euphorischen Apotheose des Schriftstellers und des Schreibens als Welterlösungsprozeß wurde, mit höchsten Maßstäben messend und sich an den größten Namen der Welt-Kultur ausrichtend: »Aber habe ich mir dazu nicht vor langem einen Leitsatz aufgestellt, ungefähr so: Fragmentarisch erleben, ganzheitlich erzählen!? Und so hätte auch diese Maxime sich allmählich oder, in einem Wort aus meiner Kindheitsgegend, ›kleinweise‹ aufgelöst, wie sämtliche, die mir jemals vorausleuchteten? Goethe wurde, scheint mir, im Älterwerden, bei aller bewahrten Kindhaftigkeit, immer bestimmter, das Kind wurde ein herrisches Kind (und dichtete zugleich ›mild‹ und ›übergänglich‹), während ich von Jahr zu Jahr unbestimmter werde, und zugleich wie seit je dringlich und scharf schreiben möchte.«

16.

Dem ständigen Versuch, Wirklichkeit auf neue lebendige Weise und authentisch wahrzunehmen, ist das Werk einer Autorin gewidmet, die schon 1974 geschrieben hat: »Das, was wir erleben, sind keine Geschichten, die Realität ist anders. Ohne Zweifel! Das, was sich die Leute im Bus erzählen, hat Anfang und Ende, Höhepunkt und Pointe, das, was wir automatisch tun, wenn uns etwas zustößt, ist das Herausputzen der Details zu Symptomen, das Herstellen einer Geschichte. Was dabei entsteht, ist nicht die Realität. Ohne Zweifel! Dieses Zurechtlegen jedoch auf Sinn, Zusammenhang, Hierarchie der Fakten hin ist eine Realität, zweifellos!«

Aber was, fragt Brigitte Kronauer weiter, ist Wirklichkeit wirklich und als was nehmen wir sie wahr? Denn sie ist auf undurchschaubare Weise chaotisch und vielfältig, und der Blick auf sie, der ja nur eine einzige Perspektive wahrzunehmen vermag, ist bloß ein Diktat von Wirklichkeit, diktiert von der Begrenzung unserer Wahrnehmungsfähigkeit. Deshalb ist die Beschreibung der Wirklichkeit durch Literatur immer eine »Diktatur der Literatur«, die den Leser in eine Falle lockt, in die Falle des Autors: »(…) das Wiedererkennen von Details (›das stimmt: Das habe ich auch schon erlebt‹) beweist nur, daß der Leser in die Falle gegangen ist: Was er für Realität hält, ist die von neuem vollzogene befriedigende Identifikation mit einer von uns lange verinnerlichten, tradierten Sehweise … Wir haben (deshalb) eine natürliche Affinität zu den Ordnungsweisen der Geschichten, natürlich, wie unser Bedürfnis nach Sinn, Perspektive, Ziel. Es kommt nur darauf an, daß wir es sind, die diese Ordnungsmuster handhaben. Immer dies ist die Frage: Kriegen wir die Geschichten (…) in den Griff oder sie uns!«

Diese Frage sei eine ständige Begleiterin ihrer Arbeit, schrieb Brigitte Kronauer 1974 im Klappentext ihres ersten Buches »Der unvermeidliche Gang der Dinge«. Anders als zeitweilig Peter Handke und wohl endgültig Botho Strauß hat sich Brigitte Kronauer in ihrer Literatur nicht aus den Verläufen ihrer sie umgebenden Wirklichkeit in idealisierende und antikisierende Projektionen entfernt, sondern ist ihnen, sie fast mikroskopierend, nah auf den Leib gerückt.

Alltägliches, Gewöhnliches bildet den Hintergrund ihres Erzählens. Ihre überaus kurzen Geschichten aus den siebziger Jahren erreichten durch prägnante Beobachtungen die radikale Künstlichkeit des *nouveau roman*, dem sich Brigitte Kronauer anfänglich auch verpflichtet fühlte: Ihre ersten Geschichten wirken wie »Standphotos«. Jedes Bild illustriert einen Teil von Wirklichkeit, doch die Blickwinkel wechseln. Brigitte Kronauer übte sich früh ein als eine genaue Beobachterin. Und hinter jeder dieser Beschreibungen alltäglicher Dinge und Situationen stecken unterschiedliche Wahrnehmungsmöglichkeiten.

In den achtziger Jahren hat Brigitte Kronauer neben anderen die drei zusammengehörenden Romane: »Rita Münster« (1983), »Berittener Bogenschütze« (1986) und »Die Frau in den Kissen« (1990) geschrieben. In ununterbrochenem Sprachfluß umreißt sie ihre Hauptfiguren, deren Gefühlszustände zwischen den Extremen Apathie und Euphorie schwanken. Doch das Innenleben ihrer Figuren interessiert Kronauer weniger als die Möglichkeit, durch sie die erfahrbare Welt perspektivisch zu brechen. Noch konsequenter als in den ersten Büchern sucht sie in ihren Romanen nach neuen Formen des Sehens und Erfahrens. Die Irritation des Lesers – und damit auch seine Mühe beim Lesen – wächst mit jedem Buch. Perspektiven wechseln abrupt, Einzelschicksale tauchen unvermittelt auf und werden wieder fallengelassen. Die Geschichte der jeweiligen Protagonisten setzt sich erst allmählich, und fast nebensächlich, im Kopf des Lesers zusammen: In »Rita Münster« entstehen die Konturen der Hauptfigur nur langsam im Verlauf des gesamten Romans. In »Berittener Bogenschütze« dagegen wird eine anfänglich klar umrissene Figur nach und nach demontiert. In »Die Frau in den Kissen« schließlich tritt das erzählende Ich durchgehend fast völlig in den Hintergrund.

Geschichten im traditionellen Sinne erzählt Brigitte Kronauer also immer weniger. Ihre Neugier auf den Entwicklungsprozeß von Geschichten, das Verhältnis von Wahrnehmung und Fiktion, läßt sie immer wieder »vor aller Augen (...) die Wirklichkeit durch den Geschichtenwolf« drehen. Sie weicht vor der Wirklichkeit nicht zurück, sondern führt vor und lehrt so, wie man sie, vielleicht, richtig wahrnehmen kann. Und sie tut dies seit Beginn ihres Schreibens auf unterhaltsamste und trefflichste Weise in dem Roman »Das Taschentuch« von 1994.

17.

Ein Schriftsteller, der auf ganz besondere Weise das traditionelle Erzählen aushebelt und so einen neuen literarischen Zugang zur entlarvenden Darstellung einer verlogenen Wirklichkeit gefunden hat, ist Hans Joachim Schädlich.

In den kurzen Texten seines ersten Buchs »Versuchte Nähe« (1977) hat Schädlich eine Poetik der Subversion entwickelt, die, freilich auf sehr unterschiedliche Weise, alle seine Bücher entfalten: Wirklichkeitserfahrung durch Sprachübung zu überprüfen. So in »Tallhover« (1986) und »Schott« (1992).

Schädlichs immer noch mustergültige Prosaskizzen in »Versuchte Nähe« sezieren – mit einem scharfen subversiven Blick fürs Detail und in einer diesen Blick gleichsam abbildenden Sprache – die Alltagsrealität des angeblich real existiert habenden Sozialismus und in »Schott« die leerlaufenden und brutalen Mechanismen der kapitalistischen Warenwelt. In seiner Prosa, die oft nur aus Momentaufnahmen besteht, werden zur Norm geronnene und deshalb unbewußt rezipierte Vorgänge bewußt gemacht, indem sie durch sprachliche Exerzitien in Erkenntnisvorgänge verwandelt werden, in Texte also, die eine angeblich normale Welt als entfremdete ins Bewußtsein des Lesers heben – mit sprachlichen Mitteln, die es dem Leser nahelegen und vielleicht sogar möglich machen, dieser entfremdeten Welt selbstbewußt zu begegnen.

In »Schott« hat Schädlich übrigens ein literarisches Formenspiel entwickelt, das noch am ehesten in Konkurrenz treten kann zum pausenlosen Angebot des Fernsehens, also Texte, die gleichsam an jeder Stelle dem Angebotsbegehren einer veränderten Rezeptionsgewohnheit standhalten – als überzeugende *literarische* Alternative.

Der Roman »Schott« beruft sich unerbittlich konsequent und mit Witz auf die Freiheit der Literatur von den Zwängen der Geschichte (aber keineswegs postmodernistisch auf ihr Ende, im Gegenteil), um im Erzählen frei zu werden für Geschichten. In »Schott« wird nicht Realität nacherzählt oder als »erfundene Authentizität« für realistische Literatur ausgegeben, die der Wirklichkeit mit deren eigenen Gesetzen erst beikommen möchte. Die Geschichten, die Schädlich in »Schott« erzählt, besser: sich erzählen läßt, öffnen vielmehr die Geschichte erst, brechen ihre Verhärtungen auf, indem sie auch mit ihren Elementen spielen und ihre Teile neu zusammensetzen, gleichsam erzählend komponieren. Die Geschichten in »Schott« machen die mit voreingenommenen Erzählhaltungen vollgestopften Köpfe frei für spielerische, von Ideologie unverstellte, unverfälschte Wahrnehmungen. Die Variationen von Wahrnehmungsmöglichkeiten, die in den Geschichten in »Schott« präsentiert werden, öffnen das Bewußtsein für eine subjektive Wahrnehmung von Welt und plädieren für eine Sprache, in der nicht *die Welt* sich als verfestigtes Ensemble von Klischees dem Wahrnehmungsvermögen wie selbstverständlich oktroyiert, sondern in der Erscheinungsweisen von Welt erprobt, Perspektiven durchgespielt und Verhaltensweisen variierend, bestätigend und einander widersprechend, vorgeführt werden. Keine parabelhaft selbstsicher auftrumpfende Geschichte fesselt den Leser an eine vorgegebene Sicht auf die Welt, sondern vergnügliche – vexatorisch irritierende und assoziativ überraschende – narrative Bausteine stören jegliche auf festen Sinn gerichtete Erwartung.

In »Schott« treffen sich aufklärerischer Geist, sprachlicher Witz und experimentelle Lust auf seriöse und vergnügliche Weise. Auch dies aber keine zum schnellen Verbrauch bestimmte Lektüre – und wieder Literatur, die nicht von vornherein Bescheid weiß, sondern ihr Suchen nach Verbindlichkeit vorführt.


18.


Interessant in der Literatur der achtziger Jahre sind die wenigen neuen Versuche, die, wie die Prosa Brigitte Kronauers und Hans Joachim Schädlichs, unsere Wahrnehmungsmöglichkeiten von Wirklichkeit genauer machen und uns sensibilisieren für die neue Phänomenologie des Lügens, die uns in Politik und Medien immer näher auf den Leib rückt: sind die störrischen Wahrnehmungsverläufe in den Gedichten von Sarah Kirsch, sind die rabiaten Texte der Elfriede Jelinek, ist die Alptraumprosa Wolfgang Hilbigs. Und ist zum Beispiel das genaue Erzählen von Sten Nadolny, dessen Roman »Die Entdeckung der Langsamkeit« (1983) eine besondere Form der Wahrnehmung, und implizite Kritik, der sich beschleunigenden funktionellen Moderne darstellt und gleichsam eine Ästhetik konzentrierter Besinnlichkeit nahelegt. – Und für viele haben auch die wohlorganisiert chaotischen Romanwelten Eckhard Henscheids, die liebevoll bissigen und genauen Beobachtungen Robert Gernhardts und die lustvoll-lockeren Anti-Feuilletons von Max Goldt, um nur diese drei aus einer neuen Schreib-Tradition zu nennen, Blickmöglichkeiten auf die uns immer mehr entrückende Wirklichkeit vorgeführt, mit denen sie die Wahrnehmung von Welt schärfen.

Die Versuche, mit oder gegen die traditionellen literarischen Formen, aber immer im Bewußtsein einer Bindung an ihren historischen Fundus, neue Erzählmöglichkeiten zu schaffen, sind vielfältig und so individuell wie die Muster der Kritik schlicht und überholt sind, um auf sie zu antworten. Es bedarf denn nicht nur einer neuen Literatur, sondern auch einer neuen Kritik, die ihre Kriterien als Handwerksmittel beherrscht und Maßstäbe eben aus dem neuen Umgang mit dieser neuen Literatur gewinnt.

Das war nach 1945, bei der langsamen Entwicklung der damals neuen, gegen die traditionellen Formen der deutschen Literatur gerichteten ›Nachkriegs-Literatur‹, die nun durch viele Wandlungen hindurch ebenfalls eine traditionelle Literatur geworden ist, auch nicht anders. An solche Metamorphosen des generationsbedingten Schreibdrangs sollte sich aber erinnern, wer herablassend auf jene Schultern meint klopfen zu können, an die er nicht heranreicht; weil er nämlich auf ihnen steht.

Ich habe nur ein paar mögliche Ansätze für eine neue literarische Bewußtheit bezeichnet. Aber auch die Bücher dieser wenigen Schriftstellerinnen und Schriftsteller tauchen trotz mancher Erfolge allenfalls auf Bestenlisten, fast nie in Bestsellerlisten auf, obwohl sie in den großen Feuilletons besprochen, sogar gefeiert werden. Aber das wissen wir ja: daß die wirklich neuen literarischen Ansätze, die aufregenden Innovationen, die jede neue Literatur durch eine eigenständige Praxis definieren, nicht aus den Repräsentationen kommen, sondern in ihrem Schatten, und erst auch immer im Schatten von jeglicher Öffentlichkeit gedeihen. Was freilich nicht den Umkehrschluß erlaubt, daß alle Literatur, die im Schatten der Öffentlichkeit bleibt, solche Ansätze entwickelt und ihren Ansprüchen auch entspricht.

Hier müßte nun eigentlich noch vom Fernsehen die Rede sein, von diesem schnellen, aber auch schnell schalen Genußmittel, das den Lesern die Phantasie und die Zeit und also die Lust auf beschwerlichere Lektüre und damit der Literatur die potentiellen Leser wegnimmt. Es stiehlt der Literatur aber noch auf andere Weise Leserpotential: Denn immer mehr kommen Bücher von jenen Nicht-Literaten auf den Markt, die nur eine Eigenschaft haben: durchs Fernsehen bekannt zu sein. Prominenz, und werde sie auch nur durch das Ablesen von Nachrichtenmoderationen im Fernsehen beschert, scheint das einzige Mittel, einem Buch, und sei es noch so dumm, viele Leser zu verschaffen. Aber gewiß ist solche Prominenz kein Mittel, um einen fesselnden Roman, ein gelungenes Gedicht, einen überzeugenden Essay zu schreiben.

Dafür gibt es keine Poetik und kein Rezept, und keine prognostische Kraft kann es bewirken. Immer erst nachträglich läßt sich nämlich urteilen: ob ein Schriftsteller seine Invention und seine Phantasie angemessen und ökonomisch organisiert hat; und ob, was er organisierte, so, wie er es tat, beim Leser funktioniert; und ob, was wir dann lesen, jene existentielle Dringlichkeit, jene zwingende Kraft hat, die uns in Bann schlagen. Dann nämlich ist es gleichgültig, ob ein Autor neue Formen versucht oder alte Formen zurückgewonnen hat; denn er gewinnt sie immer nur in dem Maße zurück, wie er sie glaubwürdig macht. Nur dann gibt er dem literarischen Fundus zurück, was er ihm entnommen hat, bereichert um das, was er daraus gemacht hat. Ohnehin zählt immer nur dies.

So, wie dieser idealisierte Autor schreibt, sollte auch die literarische Kritik betrieben werden: zwingend, also konsequent am Text, die Maßgaben des Autors prüfend, vergleichend; mit Gründen urteilend, die offengelegt werden, zustimmend oder verwerfend. Und immer im *mitgeteilten* Bewußtsein, daß Kritik, will sie als seriös akzeptiert werden, eingedenk sein muß ihrer, einzig möglichen, Subjektivität.

# Nachbemerkung

Am 9. November 1989 wurde die Berliner Mauer geöffnet, am 3. Oktober 1990 schloß sich die DDR der BRD an: Das neue Deutschland entstand.

Zugleich begannen die sogenannten ›sozialistischen‹, also die staatskapitalistischen Länder, sich in privatkapitalistische Länder zu transformieren. Das Imperium der Sowjetunion verwandelte sich in ein etwas kleineres und noch unberechenbareres Imperium Rußland. Was vorher so sinnfällig geordnet schien, nach Blöcken und Einflußbereichen, geriet in Unordnung, weltweit zwischen und jeweils für sich in den neu sich organisierenden Ländern. Die meisten Politiker, aber auch die meisten Intellektuellen sind mit der neuen Situation bis heute nicht zu Rande gekommen. Wie sollten sie auch?

Angesichts einer so grundstürzend veränderten Welt mit ihren übermächtig gewordenen Themen und Problemen muß auch die Literatur neu Maß nehmen und müssen, wenigstens, Schriftsteller und Intellektuelle erst einmal *denken,* bevor sie schreiben respektive das Geschriebene publizieren.

Die Vereinigung der beiden deutschen Staaten hat eine neue Wirklichkeit geschaffen, deren Gestaltung der Politik bislang einigermaßen mißlungen ist. Das liegt nicht nur am Zusammenwuchern und -wursteln zweier in vierzig Jahren grundsätzlich anders gewachsener Gesellschaften. Hans Magnus Enzensberger hat schon vor einiger Zeit für die (west)deutsche Politik gesagt, sie sei voll ausgelastet mit dem Verwalten dessen, was ist – ausgerechnet er sagte es ohne Zorn, mit der Selbstverständlichkeit dessen, der sich darin eingerichtet und damit abgefunden hat.

Aber es scheint, als hätte sich nicht nur Enzensberger, sondern als hätten sich die meisten Intellektuellen in der alten Bundesrepublik mit dieser Art von Politik-Verwaltung abgefunden. Und manche, die sich schnell neu orientierten, haben offensichtlich keine anderen Vorstellungen als den Rückgriff auf unscharfe alte nationale Muster.

Nicht nur die Andersartigkeit und die Wucht der Probleme in dem neuen größeren Land bestimmen das ganz andere Reagieren der Intellektuellen heute – vor dreißig Jahren wären sie, als sogenannte *engagierte Schriftsteller* und *nonkonformistische Intellektuelle*, nicht so larmoyant an die Öffentlichkeit gegangen wie heute: sondern als heftig in der Sache Protestierende, weil heftig an sie Engagierte (und einer der aufgeregt Heftigsten hieß damals Martin Walser – ein anderer Hans Magnus Enzensberger). Schon lange aber, scheint mir, ist den Intellektuellen die klare Sprache dieser Einmischung abhanden gekommen. Und zwar so sehr, daß der, damals immerhin amtierende, Bundespräsident Richard von Weizsäcker öffentlich bedauern konnte, er nehme bei den Intellektuellen Distanz und Resignation gegenüber der politischen Macht wahr und vermisse ihre vitale und kritische Beteiligung – so als hätte sich das früher viel beschworene Verhältnis zwischen Geist und Macht umgekehrt.

Nun ist freilich zuzugeben, daß es inzwischen immer schwerer ist, abweichende Stimmen, und seien ihre Argumente noch so wichtig und gewichtig, politisch wirkungsvoll in Anschlag zu bringen. Das traurigste Beispiel dafür sind die sanften Revolutionäre der alten DDR, die sich mit keiner ihrer politischen Zielvorstellungen im Bonner Parlament durchzusetzen vermochten – nicht einmal mit ihrem Wunsch nach einer Verfassungsdiskussion. Die aber sollte in einem demokratischen Staat selbstverständlich sein, dessen Gesellschaft durch die Vereinigung zweier so unterschiedlicher Gesellschaftssysteme verändert wurde.

Es gibt einige Gründe dafür, daß vielen Intellektuellen die Lust auf politische Gegenrede und kritisches Engagement vergangen ist: gesellschaftliche und hedonistische. Lange genug wurden sie in der Öffentlichkeit zu jenen *Pinschern* gemacht, als die sie nun nicht mehr ernst genommen werden sollen. Und die meisten von ihnen engagieren sich so wenig oder so viel wie die anderen Bürger dieses Landes.

Vor allem aber wird jenen wenigen Intellektuellen, die sich treu geblieben sind und mit immer noch gültigen, aber nicht mehr so angesehenen Argumenten dennoch in die politischen Debatten einmischen, inzwischen vorgeworfen, sie seien ja schon immer blind gewesen gegenüber dem Sozialismus: seiner Theorie, seiner Praxis und der ihm verpflichteten Literaten und ihrer Literatur, und sie hätten deshalb gefälligst zu schweigen. Als sollten sie nun noch nachträglich dafür abgestraft werden, daß sie schon früh mit großem Recht für mehr Demokratie und natürlich für ein Denken nicht ohne Zukunft öffentlich eingetreten sind.

Wer nämlich in den fünfziger und sechziger Jahren die Intellektuellen wegen ihrer Kritik an Regierung und Administration attackiert und ihnen damals nahegelegt hat, sie sollten doch am besten nach drüben, also in die damalige DDR, gehen, der bekämpfte die Intellektuellen nicht, weil sie, wie das nach dem Untergang der DDR oft anklingt, angeblich für die DDR, sondern weil sie für eine Demokratisierung der noch dumpfen und autoritären bundesrepublikanischen Gesellschaft eintraten, die sie, auch mit ihrer Literatur, gründlich durchlüften wollten.

Ich beharre darauf: Die Intellektuellen und Schriftsteller, die in den fünfziger und sechziger Jahren gegen den westdeutschen Staat polemisiert, gegen wichtige Entscheidungen seiner Politiker argumentiert und rebelliert haben – sie haben in der Sache zwar meist nicht recht bekommen. Aber sie haben durch ihr kritisches Verhalten der Gesellschaft dieser untergegangenen Bundesrepublik Deutschland praktische Freiheit und Demokratie vorgelebt. Und das soll nun falsch gewesen sein?

In den neunziger Jahren, da autoritäre eher als freiheitlich-demokratische Aspekte dieser frühen Jahre wieder maßgeblich zu werden scheinen, muß sich keiner dieser Intellektuellen von konservativen Recht- und Machthabern vorwerfen lassen, er habe damals die Falschen attackiert, nur weil inzwischen die DDR zusammengebrochen ist – es waren und es bleiben die richtigen Adressaten: die Gegner offener demokratischer Auseinandersetzungen damals wie heute, die das DDR-Argument für ihre Zwecke immer nur funktionalisiert haben.

Einst sahen die kritischen Intellektuellen in der Bundesrepublik eine ihrer Aufgaben darin, öffentlich, und wenn es sein mußte: polemisch, die notwendigen Fragen zu stellen, um ihnen Gehör zu verschaffen – und diese Fragen waren tatsächlich meist interessanter und notwendiger als ihre eigenen Antworten, zumal wenn diese Antworten mit präzeptoraler Geste gegeben wurden. Diese Intellektuellen haben im wohlverstandenen demokratischen Prozeß die Rolle der gesinnungsethischen Moralisten übernommen – auf ihre Einreden zu reagieren hätten die verantwortungsbewußten Politiker: ein ideales demokratisches Wechselspiel, dem die dogmatischen Gegner einer offenen Gesellschaft von rechts und links freilich nie etwas abgewinnen können.

Dieses Wechselspiel gibt es schon lange nicht mehr: weil die Inhaber der Macht nicht mehr politische Verantwortung auf so verstandene demokratische Weise wahrnehmen, sondern im falschen Verständnis als Besitzer des Staates und seit 1990 auch als scheinbare Sieger der Geschichte nur noch ihren partei- und machtpolitischen Interessen folgen; und weil der Partner der Politiker heute nicht mehr, wie zu Zeiten Willy Brandts, der Intellektuelle ist – sondern der Fernsehmoderator.

Und weil die Intellektuellen, wo sie nicht zu hedonistischen Zynikern oder larmoyanten Zeitgeistlichen wurden, ihre Fragen angesichts einer kaum noch in Umrissen erkennbaren Zukunft erst noch formulieren – weil also am Ende für die einen angeblich alles klar und für die anderen so vieles ungewiß geworden ist.

# Anmerkungen

Diese Anmerkungen sind nicht nur für Nachweise da. Manches, das den Fluß des Erzählens störte, habe ich hier abgelegt.

*Motto 1.* Robert Creeley: »Autobiographie«, Salzburg, Wien 1993, S. 62. – *Motto 2.* Peter Buchka: »Ein böses Zeichen. Anmerkungen zu einer Obszönität«, in »Süddeutsche Zeitung«, 18.4.1994, S. 13.

## I Die Last der Vergangenheit

S. 9: *Wo ich bin, ist die deutsche Kultur.* Überliefert von Heinrich Mann in »Ein Zeitalter wird besichtigt«, Berlin 1947, S. 231. Ob das Zitat authentisch ist, weiß ich nicht. Es findet sich weder in Thomas Manns Tagebüchern noch in seinen Briefen, noch in seinen Reden und Artikeln, die er in den USA publiziert hat. Ob Heinrich es dem Bruder in den Mund gelegt hat oder Thomas es dem Bruder bei seiner Ankunft so sagte? Die »New York Times« vom 22.2.1938, S. 13, berichtete über die Ankunft Thomas Manns in New York einen Tag zuvor und zitiert ihn: »Where I am, there is Germany. I carry my German culture in me.« – Es gibt Autoren, die für ein moralisches Klima stehen. Thomas Mann war ein solcher Autor, auch sein Bruder Heinrich. Und eben *Heinrich Böll.* Er hat sich die Authentizität seiner nie von ihm selbst in Anspruch genommenen, aber stets ihm zugebilligten moralischen Autorität mit seinem frühen Werk erschrieben; aus dieser Authentizität heraus konnte er später unbefangen politisch und moralisch argumentieren, noch in der medial angeheizten Terroristendebatte der siebziger Jahre. In dieser öffentlichen Rolle hat Böll noch einmal das moralische Kraftfeld seiner früheren Literatur aktiviert.

S. 10: *Wir, die wir glauben.* »Der Ruf«, Jg. 1, 1947, Nr. 16, S. 12.

S. 11: *das Gedicht ohne Glauben.* Gottfried Benn: »Probleme der Lyrik«, in: »Gesammelte Werke«, hg. von Dieter Wellershoff, Bd. 1, Wiesbaden 1959, S. 524.

S. 12: Von der *aristokratischen Form der Emigrierung* schrieb Gottfried Benn in einem Brief an Ina Seidel vom 12.12. 1934; vgl. G.B.: »Ausgewählte Briefe«. Mit einem Nachwort von Max Rychner, Wiesbaden 1957, S. 62. Und in der autobiographischen Prosa »Doppelleben« (1949) schrieb er: »Damals prägte ich das Wort, das bis 1945 im Oberkommando umlief, ohne daß allerdings glücklicherweise noch jemand wußte, von wem es stammte: ›Die Armee ist die aristokratische Form der Emigration‹.« In: G.B.: »Autobiographische und vermischte Schriften«, in: »Gesammelte Werke«, hg. von Dieter Wellershoff, Bd. 4, Wiesbaden 1961, S. 94.

S. 12-14: *Epilog.* G.B.: »Gedichte«, in: »Gesammelte Werke«, hg. von Dieter Wellershoff, Bd. 3, Wiesbaden 1960, S. 343-345.

S. 15/16: *In den Wohnungen des Todes.* Nelly Sachs: »Fahrt ins Staublose«, Frankfurt/M. 1961, S. 8.

S. 16: *Erreichbar, nah und unverloren.* Paul Celan: »Ansprache anläßlich der Entgegennahme des Literaturpreises der Freien Hansestadt Bremen«, in: »Gesammelte Werke«, Bd. 3, Frankfurt/M. 1983, S. 185f.

S. 16/17: *Denn das Gedicht ist nicht zeitlos.* Ebd, S. 186.

S. 17/18: *Zähle die Mandeln.* Paul Celan: »Gesammelte Werke«, Bd. 1, Frankfurt/M. 1983, S. 78.

S. 19: *Wort und Geist.* Werner Bergengruen: »Am Anfang war das Wort«, Freiburg 1948, S. 16.

S. 19/20: *Wir wissen nicht mehr.* Rudolf Hagelstange: »Venezianisches Credo«, Wiesbaden, Leipzig 1946, S. 17.

S. 20: *Ballade von den alten und neuen Worten.* Stephan Hermlin: »Gesammelte Gedichte«, München, Wien o. J. (1979), S. 47.

S. 22: *Latrine.* Günter Eich: »Gesammelte Werke«, Bd. 1, Frankfurt/M. 1991, S. 37. »Latrine« erschien, zusammen mit den beiden vergleichbar ernüchternden Gedichten »Pfannkuchenrezept« und »Frühling« in »Der Ruf«, Jg. 1, 1946, Nr. 7, S. 12. Auch in dem von Hans Werner Richter herausgegebenen Band »Deine Söhne, Europa. Gedichte deutscher Kriegsgefangener«, München 1947, hat Eich einige Gedichte von dieser Art publiziert, z. B. »Inventur«, ebd. S. 17. – Erst 1993 wurde bekannt, daß Günter Eich 1940 mit dem Hörspiel »Rebellion in der Goldstadt« einen Text verfaßt hat, der alle nationalistischen und rassistischen Klischeevorstellungen seiner Zeit bediente, der also keineswegs aus jenem Geist stammt, dem die sechs Jahre später veröffentlichten Gedichte entsprechen. Wer nun meint, Eich habe mit diesen wenigen ›rabiaten‹ Gedichten von 1946 ebenso den neuen Zeitgeist bedient wie mit seinem Hörspiel den von 1940, der wird sich von Eichs lyrischem Werk seit 1945 und von seinen späteren Hörspielen denn doch eines anderen, Besseren belehren lassen. Bereits 1979 hatte Fritz J. Raddatz in einem »Zeit«-Dossier Fragen und Antworten zu diesem Komplex der Verstrickung junger deutscher Schriftsteller im »Dritten Reich« gestellt und, freilich sehr Raddatz'sch forsch und mit anfechtbaren Zitaten, aber in der tieferen Sache durchaus zutreffend beantwortet: »War Günter Eich Mitglied der NSDAP? – Blieb Peter Huchel Mitglied der Reichsschrifttumskammer? – Schrieb Erich Kästner Nazi-Filme? – Verlegte Wolfgang Koeppen im Dritten Reich? – Hat Peter Suhrkamp Nazi-Oden gedruckt? – Die These lautete bisher: 1945 war Kahlschlag und Nullpunkt. Die These ist falsch. Die deutsche Nachkriegsliteratur begann im Krieg.« Natürlich wußte auch Raddatz schon lange zuvor, daß die These vom *Nullpunkt* und vom *Kahlschlag* eine Illusion war und eine Behauptung: nämlich trotz aller Belastung einen neuen Anfang zu machen. Vgl. Fritz J. Raddatz: »Wir werden weiterdichten, wenn alles in Scherben fällt ... Der Beginn der deutschen Nachkriegsliteratur«, in: »Die

Zeit«, 12.10.1979, S. 33. Dazu Marcel Reich-Ranicki: »Verleumdung statt Aufklärung. Deutsche Schriftsteller im Dritten Reich«, in: »Frankfurter Allgemeine Zeitung«, 18.10.1979, S. 25f., und Walter Jens: »Vom Geist der Zeit. Der Dichter unter dem Diktator – Kritik und Würdigung der Inneren Emigration im Nazi-Reich«, in: »Die Zeit«, 19.11.1979, S. 57f., und schließlich von Günter Grass dazu »Kein Schlußwort«, in: »Die Zeit«, 23.11.1979. Vgl. auch die Arbeiten von Hans Dieter Schäfer zu diesem Komplex, zuerst: »Zur Periodisierung der deutschen Literatur seit 1930«, in: »Literaturmagazin« Nr. 7: Sonderband »Nachkriegsliteratur«, hg. von Jürgen Manthey und Nicolas Born, Reinbek 1977, S. 95-115. – Wie sehr die jungen Schriftsteller und Intellektuellen in ihren Artikeln in den neuen Zeitungen und Zeitschriften gleich nach 1945 noch der Sprache und dem Pathos des »Dritten Reichs« verpflichtet waren, hat Urs Widmer nachgewiesen in seiner Dissertation »1945 oder die ›Neue Sprache‹. Studien zur Prosa der ›Jungen Generation‹«, Düsseldorf 1966.

S. 23: *Der Geist der Städte.* Albrecht Goes: »Von Mensch zu Mensch«, Berlin 1949, S. 150.
*Die Häherfeder.* Günter Eich: »Gesammelte Werke«, Bd. 1, Frankfurt/M. 1991, S. 45f.

S. 24: *Kulturkritik und Gesellschaft.* Theodor W. Adornos Essay erschien zuerst in: »Soziologische Forschung in unserer Zeit. Leopold von Wiese zum 75. Geburtstag«. Hg. von Karl Gustav Specht. Köln, Opladen 1951. 1955 wurde er in die Sammlung »Prismen« aufgenommen. Hier wurde zitiert aus: »Gesammelte Schriften«. Bd. 10,1. Frankfurt/M. 1977. S. 30.

S. 25: Theodor *Plievier* schrieb sich bis 1930 Plivier.

S. 26: Die Auseinandersetzung zwischen *Walter von Molo, Frank Thiess* und *Thomas Mann* ist nachzulesen in »Die deutsche Literatur 1945 – 1960. Band 1: ›Draußen vor der Tür‹, 1945 – 1948«, hg. von Heinz Ludwig Arnold, München 1995, S. 57-70. – Interessant in diesem Zusammenhang ist die Tatsache, daß in Frankreich, anläßlich des 100.

Geburtstags von Ernst Jünger, in der Literaturzeitschrift LIRE zu lesen ist, Jünger sei erhobenen Hauptes durch die Widrigkeiten (des Nazi-Reichs) geschritten, ohne sich auf die komfortable Schutzinsel des Exils zurückzuziehen (»sans jamais adopter le refuge confortable de l'exil«; vgl. LIRE, no. 232/février 1995, S. 44). Das ist eine schamlose Umkehr der Fakten, wie sie schon seit dem Ende des »Dritten Reichs« versucht wird.

S. 27: *So hört man, im oft dämonischen Konzert.* Ernst Jünger: »Gärten und Straßen«, in: »Sämtliche Werke«, Bd. 2, Stuttgart 1979, S. 74.

S. 28: *Mittags Besuch.* Ernst Jünger: »Strahlungen«, Tübingen 1949, S. 309.

S. 29: Über Ernst Jüngers *Betroffenheit.* Ich folge hier meiner kritischen Auseinandersetzung mit Ernst Jünger in meinem »Versuch über Ernst Jünger«, der unter dem Titel »Krieger, Waldgänger, Anarch« 1990 als eines der »Göttinger Sudelblätter« erschienen ist. – Dazu ergänzend: Henri Plard, jener Übersetzer, dessen geliehene Sprache Ernst Jünger in Frankreich zum gefeierten Autor machte, heftete sich, als die Juden in Paris einen gelben Stern tragen mußten, einen gelben Stern ans Revers und marschierte die Champs-Elysées auf und ab – nicht lange: Er wurde festgenommen und saß drei Monate im KZ.

*In einem Papiergeschäft.* Ernst Jünger: »Strahlungen«, Tübingen 1949, S. 155. – In diesem Zusammenhang sei schon ein Hinweis voraus auf Botho Strauß gegeben, der seit seinem Prosaband »Paare, Passanten« von 1981 eine Ent-Haltung wie Ernst Jünger pflegt. In der Festschrift zu Jüngers 100. Geburtstag »Magie der Heiterkeit«, hg. von Günter Figal und Heimo Schwilk, Stuttgart 1995, schreibt Strauß: »Es gibt bei Jünger Sentenzen, die strahlen, man kann kaum hinblicken – und es gibt solche, die sind Eingänge ins Dunkle, hier sieht man nichts mehr, sondern fühlt sich unter Herzklopfen vom Unsichtbaren umgeben, berührt.« (S. 321) Das ist, blickt man nur einmal genau hin, sich selbst offenbarender Unsinn.

S. 30: *Ganz freiwillig war diese merkwürdige stilistische Esoterik.* Gustav René Hocke: »Deutsche Kalligraphie«, in: »Der Ruf«, Jg. 1, 1946, Nr. 7, S. 9. – Die *stilistischen* Bearbeitungen Jüngers sind seit den unterschiedlichen Auflagen der »Stahlgewitter« eine Methode des Autors, seine Texte zuweilen auch auf den neuesten Stand (s)einer Meinung zu bringen.

S. 31: *Trümmer-Literatur.* Vgl. Heinrich Böll: »Bekenntnis zur Trümmer-Literatur«, in: »Die Literatur«, Jg. 1, 1952, Nr. 5, S. 1: »Die ersten schriftstellerischen Versuche unserer Generation nach 1945 hat man als Trümmer-Literatur bezeichnet, man hat sie damit abzutun versucht.«

*Kahlschlag.* Vgl. Wolfgang Weyrauch in: »Tausend Gramm«, Hamburg, Stuttgart 1949, S. 213: »Was aber gibt sie (die deutsche Gegenwartsliteratur)? Sie gibt einen Kahlschlag in unserm Dickicht.«

S. 32: Zu *Hans Henny Jahnns* uneindeutiger Haltung vgl. Hans Henny Jahnn: »Briefe I. 1913 – 1940«, hg. von Ulrich Bitz, Jan Bürger, Sandra Hiemer, Sebastian Schulin unter Mitarbeit von Uwe Schweikert, Hamburg 1994, dort S. 790f. in einem Brief vom 14.3.1935 an Walter Muschg: »Du weißt, ich habe mich niemals gegen Deutschland festgelegt, einmal, weil ein so weitgehender Schritt meiner Überzeugung widersprochen hätte, zum andern, weil ich nicht mehr fanatisch genug bin, auf meiner Anschauung zu bestehen, soweit es sich um höchst allgemeine politische oder staatliche Institutionen handelt. (…) Der dänische Staat und die Staatspolizei betonen in der Öffentlichkeit, daß sie das Asylrecht unter allen Umständen wahren wollen. Also Juden und Kommunisten sind offenbar unbehelligt. Mein Unglück scheint zu sein, daß ich *nur* zum Verhungern in Deutschland verurteilt bin, aber keinerlei politische Verbrechen auf dem Gewissen habe. Ich könnte meine Stellung hier sofort festigen, wenn ich mich in irgend einer Form gegen den jetzigen deutschen Staat aussprechen würde. Aber das kann ich nicht. Und ich will es auch unter keinen Umständen. Jedes andre Schicksal ist mir lieber, als das eines wirklichen Emigranten. Ich weiß auch, daß zum wenigsten mein literarisches Schaffen sosehr deutsch und nicht jüdisch ist, daß ich größeren Widerhall im Auslande niemals finden werde. Und endlich: So schrecklich mir der Gedanke einer Diktatur an sich ist, und so unvorteilhaft ich auch von einzelnen Maßnahmen der jetzigen Regierung denke, so weiß ich doch, daß die vielgepriesenen Demokratien in ihrer Ausübung des staatlichen Rechtes um keinen Deut besser sind als die Diktaturen. Bleibt also nur die eine Peinlichkeit, daß es sich bei der deutschen Diktatur um ein weltanschauliches Staatsgebilde handelt, und daß gegenüber den politischen Gegnern die Gerechtigkeit fragwürdig wird.«

S. 33: Zur *engagierten Literatur* vgl. Jean-Paul Sartre: »Was ist Literatur?«, Hamburg 1950; Albert Camus: »Der Mythos von Sisyphos«, Bad Salzig, Düsseldorf 1950, »Der Mensch in der Revolte. Essays«, Reinbek 1953. – Sehr zu empfehlen ist auch von Lothar Baier: »Was wird Literatur?«, Wien 1993.

S. 37: *Flieger waren über der Stadt.* Wolfgang Koeppen: »Tauben im Gras«, in: »Gesammelte Werke«, Bd. 2, Frankfurt/ M. 1986, S. 11f.

S. 40: Zum *Fall Koeppen* vgl. Marcel Reich-Ranicki: »Der Fall Wolfgang Koeppen«, in: Ulrich Greiner (Hg.): »Über Wolfgang Koeppen«, Frankfurt/M. 1976, S. 101-108 (zuerst in: »Die Zeit«, 8.9.1961); Ernst-Peter Wieckenberg: »Der Erzähler Wolfgang Koeppen«, in: Heinz Ludwig Arnold (Hg.): »Geschichte der deutschen Literatur aus Methoden – Westdeutsche Literatur von 1945-1971«, Bd. 1, Frankfurt/M. 1972, S. 194-204.

S. 43: *Wechselbalg.* Max Frisch im Gespräch mit mir, in: Heinz Ludwig Arnold: »Schriftsteller im Gespräch«, Bd. 1, Zürich 1990, S. 241.

S. 46: *Clique.* Vgl. Hans Magnus Enzensbergers Aufsatz über die »Gruppe 47«: »Die Clique«, in: »Einzelheiten«, Frankfurt/M. 1962, S. 179-185.

*Reichsschrifttumskammer.* Vgl. Heinz Ludwig Arnold

(Hg.): »Die Gruppe 47«, TEXT + KRITIK Sonderband, 2. Aufl., München 1987, S. 277.

S. 49/50: *Kinderlied.* Günter Grass: »Gleisdreieck«, Neuwied, Berlin 1960, S. 9.

S. 51: So *Helmut Heißenbüttel* einmal im Gespräch mit mir.

S. 51/52: *Lied der Benn-Epigonen.* In dieser Fassung erstmals gedruckt in Peter Rühmkorf: »Irdisches Vergnügen in g«, Hamburg 1959, S. 60. In rudimentärer Vorform kursierte dieses Gedicht schon ein paar Jahre früher.

S. 52: *Museum.* Hans Magnus Enzensbergers schöne und wichtige Anthologie »Museum der modernen Poesie« erschien bei Suhrkamp, Frankfurt/M. 1960.

S. 53/54: *Geburtsanzeige.* Hans Magnus Enzensberger: »Die Gedichte«, Frankfurt/M. 1983, S. 63.

S. 55: Zu *Alfred Anderschs Mut* oder *Angst* hat sich sehr kritisch und wohl auch treffend W. G. Sebald geäußert: »Between the Devil and the Deep Blue Sea. Alfred Andersch. Das Verschwinden in der Vorsehung«, in: »Lettre International«, 1993, H. 20, S. 80-84. Darin geht es auch um Anderschs Biographie, die in allen Nachschlagewerken unvollständig reportiert wird: Andersch war seit 1935 mit der Halbjüdin Angelika Albert verheiratet, von der er sich 1942 trennte und 1943 scheiden ließ – dazu Sebald: »Es bedarf kaum der näheren Erläuterung, welcher Gefahr Angelika Albert damit ausgesetzt war in einer Zeit, da es weniger um das Inkrafttreten der Rassengesetze als um die möglichst zügige Durchführung der Endlösung ging. Idl Hamburger, die Mutter Angelikas, war bereits im Juni 1942 aus dem Münchner Judenlager in der Knorrstraße 148 nach Theresienstadt ›überstellt‹ worden, von wo sie nicht mehr zurückkehren sollte.« In seinem Antrag auf Aufnahme in die Reichsschrifttumskammer vom 16.2.1943 bezeichnete sich Andersch bereits als »geschieden«, obgleich die Scheidung erst am 6.3.1943 ausgesprochen wurde. Nach seiner Desertion 1944 allerdings, in einem Brief an die »Authorities of the POW-Camp Ruston« in Louisiana, berief sich Andersch, nun schon lange geschieden, auf »meine Frau« als einen »Mischling jüdischer Abstammung« (»my wife being a mongrel of jewish descent«); das ganze Zitat, mit dem sich Andersch den Amerikanern präsentierte, steht bei Stephan Reinhardt: »Alfred Andersch. Eine Biographie«, Zürich 1990, S. 111. Zu diesem von Reinhardt unkommentierten Verhalten Anderschs schreibt Sebald mit Recht: »Einen schäbigeren Winkelzug hätte er sich schwerlich ausdenken können.« Ich glaube, unter solchen Erkenntnissen gewinnt auch sein Desertionsbericht »Die Kirschen der Freiheit« neue Perspektiven: als Verhüllung einer weiteren Feigheit (die inzwischen Heiner Müller ja als ein »Menschenrecht« reklamiert) oder als korrigierender Mut? Auch Anderschs schon seit dem Essay »Deutsche Literatur in der Entscheidung« von 1948 (mit)geteilte Vorliebe für die *mutige Existenz* Ernst Jüngers gewinnt in diesem Zusammenhang tiefenpsychologische Perspektiven. – Hinsichtlich der Impresario-Rolle Alfred Anderschs im Literaturbetrieb der vierziger und fünfziger Jahre lese man seinen Briefwechsel mit Arno Schmidt. Darin ist nur sehr wenig von literarischen und ästhetischen Fragen, aber um so mehr von literaturbetrieblichen Arrangements und gegenseitigen Versicherungen der literarischen Größe die Rede, wonach ja nicht nur Andersch, sondern auch Arno Schmidt durchaus gierte: Arno Schmidt: »Der Briefwechsel mit Alfred Andersch«. Mit einigen Briefen von und an Gisela Andersch, Hans Magnus Enzensberger, Helmut Heißenbüttel und Alice Schmidt, hg. von Bernd Rauschenbach, Zürich 1985, 2. verbesserte Aufl. 1986. Vgl. auch zur Rolle Anderschs im Literaturbetrieb der Bundesrepublik den Essay von W. G. Sebald.

## II Die Vision einer Zukunft

S. 60: Offener Brief von Grass an Anna Seghers in: Heinz Ludwig Arnold / Franz Josef Görtz (Hg.): »Günter Grass –

Dokumente zur politischen Wirkung«, München 1971, S. 6f.

S. 62: Den Vorwurf einer *Sozialdemokratisierung* der Literatur hat etwa Ulrike Meinhof erhoben (in: »konkret«, 1967, H. 10); vgl. zur dieser Debatte Heinz Ludwig Arnold: »Zur Geschichte der Gruppe 47«, Nachwort zu dem Reprint »Der Skorpion«, Göttingen 1991, S. 87.

*Gesinnungsästhetik.* Ulrich Greiner: »Die deutsche Gesinnungsästhetik«, in: »Die Zeit«, 2.11.1990.

S. 62/63: *Tod der bürgerlichen Literatur.* Der Begriff wurde erst später so geprägt und kritisch wieder aufgenommen im »Literaturmagazin« Nr. 4: »Die Literatur nach dem Tod der Literatur«, hg. von H. Chr. Buch, Reinbek 1975. Die Debatte ging aus von Walter Boehlichs Text »Autodafé«, einem dem »Kursbuch«, 1968, Nr. 15, beigelegten »Kursbogen«, in dem die Rede davon war, daß die ›bürgerliche Kritik‹ tot sei, »gestorben mit dem bürgerlichen Gott, der ihr seinen Segen gegeben hat«. Und: »An die bürgerliche Literatur glauben nicht einmal mehr die bürgerlichen Literaten.« Einer der »bürgerlichen Literaten« freilich war auch Walter Boehlich. Vgl. dazu auch die Aufsätze in meinem Band »Brauchen wir noch die Literatur? Zur literarischen Situation in der Bundesrepublik«, Düsseldorf 1972 (= Literatur in der Gesellschaft, Bd. 13).

S. 63: *literarische Weltmeisterschaft.* So Martin Walser 1972 in einem Gespräch mit mir (Sendung 1972 im NDR). Der Text des Gesprächs wurde von Walser für die Veröffentlichung redigiert, dann aber doch nicht publiziert.

S. 64: *Beschreibungsimpotenz.* Vgl. den vollständigen Wortlaut von Handke (zum Teil hier zitiert auf S. 72f.) und Mayer in »Peter Handke«, TEXT + KRITIK, H. 24, 5. Aufl. 1989, S. 17-20. – So sagte Hans Mayer entsprechend der wörtlichen Mitschrift unter anderem: »Daß Handke zweifellos nicht nur in der Ausdrucksweise, sondern auch in der Ästhetik, die er vertritt, sehr Richtiges mit – wie mir scheint – sehr Falschem verbindet, sollte doch nicht daran hindern zu sehen, was an diesen Dingen über seinen eigenen Fall und seine eigene Kritik hinaus gültig ist. Grass hat mit Recht gestern den Ausdruck von der Bundesrepublik als einem Problem des neuen Biedermeier gesprochen. Die Literatur, die wir hier (gemeint sind die Lesungen der Gruppe in Princeton) in vielen Fällen erlebt haben, ist eine Literatur, die Reflex einer neurestaurativen, biedermeierlichen Gesellschaft ist, deren typische Züge ein Quietismus, ein Establishment ist, und die in erschreckendem Sinne auch einen Weg des ›Zurück zur Natur‹ gibt, die nicht etwa eine rousseauistische ist, sondern die eine verdinglichte Welt dadurch darstellt, daß sie sich in die Naturlandschaft flüchtet.« Nachträglich muß man sagen, daß diese Kritik Mayers in der Sache ebenso entschieden war wie die Kritik Handkes – diese *Nobilitierung* einer zwar aggressiver, aber weniger überzeugend formulierten Grundsatzkritik an der Literatur der »Gruppe 47«, die es als *eine* einheitliche Literatur ja gar nicht gab, war wohl der eigentliche Grund für Hans Werner Richters anhaltende Verstimmung gegenüber Hans Mayer.

S. 65: Zu Walsers Forderung nach *Sozialisierung* vgl. M.W.: »Sozialisieren wir die Gruppe 47!«, in: Reinhard Lettau (Hg.): »Die Gruppe 47«, Neuwied, Berlin 1967, S. 368-370 (zuerst in: »Die Zeit«, 3.7.1964).

*Hausgenossen*. Ein »Maulwurf« von Günter Eich, zitiert nach: »Gesammelte Werke«, Bd. 1, Frankfurt/M. 1991, S. 328f. Der »Maulwurf«, den Eich bei der »Gruppe 47« in der Pulvermühle gelesen hat, war eine geringfügig variierte Vorstufe zu diesem später gedruckten Text.

S. 66: *mit dieser Art von Literatur*. So in der Diskussion nach der Lesung; laut Tonmitschnitt des Sender Freies Berlin zitiert im Bericht über diese Tagung der »Gruppe 47«.

S. 68: *Mit dem Segelschiff über die Alpen* ist Teil des Titels des dritten und letzten Kapitels von »Der Sturz«.

S. 69: *Parteilichkeit*. So Walser 1972 im Gespräch mit mir, vgl. die Anmerkung zu S. 63.

S. 70: Über Friedrich Dürrenmatt siehe Heinz Ludwig Arnold: »Querfahrt mit Dürrenmatt«, Göttingen 1990.

S. 72: Zu Handkes Vorwurf der *Beschreibungsimpotenz* vgl. die Anmerkung zu S. 64.

S. 73: *Das Motiv für den Realismus.* Alexander Kluge: »Die schärfste Ideologie: daß die Realität sich auf ihren realistischen Charakter beruft«, in: »Gelegenheitsarbeit einer Sklavin. Zur realistischen Methode«, Frankfurt/M. 1975, S. 216, 218.

*sinnlich konkreter Erfahrungsausschnitt.* Dieter Wellershoff: »Neuer Realismus«, in: »Die Kiepe«, Hauszeitschrift des Verlages Kiepenheuer & Witsch, Jg. 13, 1965, Nr. 1, S. 1.

S. 75: Zur Geschichte der »*Gruppe 61*« wie überhaupt der deutschen Arbeiterliteratur vgl. Heinz Ludwig Arnold (Hg.): »Handbuch zur deutschen Arbeiterliteratur«, München 1977, 2 Bde.

S. 76: Zu *Dokumentarismus* und Dokumentarliteratur vgl. Heinz Ludwig Arnold und Stephan Reinhardt (Hg.): »Dokumentarliteratur«, München 1973.

*erfundene Authentizität.* Diese Formulierung benutzte Martin Walser in einer Diskussion des »Werkkreises Literatur der Arbeitswelt« im Mai 1972.

S. 77: *Gericht ist Urtheater.* In: »Friedrich Dürrenmatt und die ›abstrakte Bühne‹. Ein Gespräch mit Walter Jonas«, in: »Zürcher Woche«, 30.8.1961.

S. 80/81: *Alle brauchen tatsächlich Redewendungen.* Helmut Heißenbüttel: »Projekt Nr. 1. D'Alemberts Ende«, Neuwied, Berlin 1970, S. 163f.

S. 82/83: *schtzngrmm.* Ernst Jandl: »Gesammelte Werke«, Bd. 1, Darmstadt, Neuwied 1985, S. 125.

S. 84: *Kritik, wie sie hier versucht wird.* Hans Magnus Enzensberger: »Einzelheiten«, Frankfurt/M. 1962, S. 355.

*Tatsächlich sind wir.* In: »Der Spiegel fragte: Ist eine Revolution unvermeidlich? 42 Antworten auf eine Alternative von Hans Magnus Enzensberger«, hg. vom Spiegel-Verlag, o. O. und o. J. (1968).

S. 85/86: Diese Schriftsteller *hoffen stillschweigend darauf / Heißt das, daß die bürgerliche Literatur tot ist?* Peter

Schneider: »Ansprachen. Reden, Notizen, Gedichte«, Berlin 1970, S. 35, 36f.

S. 86: *Wenn die intelligentesten Köpfe.* Hans Magnus Enzensberger: »Gemeinplätze, die Neueste Literatur betreffend«, in: »Kursbuch«, 1968, Nr. 15, S. 189.

S. 86/87: *Auch mir wurde verstärkt ins Gewissen geredet.* Robert Gernhardt: »Schuld und Scham – und wie es dazu kam«, in: »Neue Rundschau«, 1993, H. 2, S. 69.

S. 89: *mitten ins Herz.* So Marcel Reich-Ranicki im Titel seiner Rezension zur »Katharina Blum« in der »Frankfurter Allgemeinen Zeitung« vom 24.8.1974: »Der deutschen Gegenwart mitten ins Herz«.

S. 91: *Kein Baum.* Thomas Bernhard: »Gesammelte Gedichte«, Frankfurt/M. 1991, S. 330.
*Seine Unmöglichkeit.* Thomas Bernhard: »Die Erzählungen«, Frankfurt/M. 1979, S. 91. Die Hervorhebung von mir.

S. 93: *Er sah, daß er sie nicht einmal.* Rolf Dieter Brinkmann: »Keiner weiß mehr«, Köln, Berlin 1968, S. 151.

S. 94: *Über das einzelne Weggehen.* Rolf Dieter Brinkmann: »Westwärts 1 & 2. Gedichte«, Reinbek 1975, S. 83.

S. 96: *Das ist es, was mich seit diesen Jahren beschäftigt.* Aus einem Gespräch mit mir am 29.9.1975 in Paris, zuletzt gedruckt in: Heinz Ludwig Arnold: »Schriftsteller im Gespräch«, Bd. 2, Zürich 1990, S. 165-167.

S. 99: *Ich glaube, meine Bedeutung.* In einem Gespräch mit mir am 9.2.1977 in Altenmarkt, gedruckt in: Heinz Ludwig Arnold: »Als Schriftsteller leben«, Reinbek 1979, S. 54.

S. 100: *Die literarische Produktion.* Ingeborg Drewitz: »Kritik oder Literaturbetrieb? Zu einem bundesdeutschen Dilemma«, in: »Literaturmagazin« Nr. 1, Reinbek 1973, S. 43.

S. 100/101: *Mailied für junge Genossin.* Peter Rühmkorf: »Gesammelte Gedichte«, Reinbek 1976, S. 130.

S. 103: *Für eine kurze Frist.* Heinrich Vormweg: »Die Wende vor der Wende«, in: Heinz Ludwig Arnold (Hg.): »Bestandsaufnahme Gegenwartsliteratur«, TEXT + KRITIK Sonderband, München 1988, S. 107.

*Nach den hochgespannten Hoffnungen.* Peter Rühmkorf: »Die Jahre die Ihr kennt. Anfälle und Erinnerungen«, Reinbek 1972, S. 231.

S. 104: *großer Rutsch / Innenministeraugenmaß.* So Walser beim Internationalen Deutschlehrer-Kongreß 1974, dokumentiert in meinem Filmporträt »Martin Walser«, NDR 1983.

S. 104/105: *Ich beobachte bei jüngeren Autoren.* In einem Gespräch mit mir am 10.9.1974 in Berlin, zuletzt gedruckt in: Heinz Ludwig Arnold: »Schriftsteller im Gespräch«, Bd. 1, Zürich 1990, S. 199f.

S. 106: *Im Schreiben wurde Orientierung gesucht.* Man sollte in diesem Zusammenhang auch das autobiographische Schreiben Elias Canettis sehen, das 1977 mit »Die gerettete Zunge. Geschichte einer Jugend« begann und mit den beiden Büchern »Die Fackel im Ohr« (1980) und »Das Augenspiel« (1985) fortgesetzt wurde: Vielleicht schrieb sich Canetti mit diesen Büchern *ex post* eine zur eigenen Identifikation geeignete, ja vielleicht sogar geschaffene Wirklichkeit, die auch fiktionale Züge trägt? Ähnlich war das angeblich fiktionale Schreiben von Max Frisch immer auch autobiographisch gesättigt und kann als Fluchtbewegung aus der Realität in die Literatur gelesen werden – sehr deutlich und selbstentblößend in »Montauk« von 1975. – Die späten siebziger und die frühen achtziger Jahre waren wohl vor allem auch eine Zeit des Erinnerns und der Selbstbehauptung, der wenigstens autobiographischen Konstituierung von Literatur. Vgl. die Väter-Literatur dieser Zeit: Am wichtigsten für diese Generation der zwischen der Vergangenheit ihrer Eltern und der eigenen Zukunft Verunsicherten und geradezu ein ›Kultbuch‹ seiner Generation wurde Bernward Vespers »Die Reise«, Frankfurt/M. 1977; bemerkenswert noch Peter Härtlings Roman »Nachgetragene Liebe«, Darmstadt 1980, und Christoph Meckels »Suchbild. Über meinen Vater«, Düsseldorf 1980. Von Thomas Bernhards autobiographischen Büchern war schon die Rede.

S. 107/108: *Im Innern der Gedichte.* Nicolas Born: »Das Auge des Entdeckers«, Reinbek 1972, S. 31f.

S. 110: *Die Lyriker sollten ihre Gedichte.* Jürgen Theobaldy: »Das Gedicht im Handgemenge«, in: »Literaturmagazin« Nr. 4, Reinbek 1975, S. 67, 69.

S. 112: *Das Erzählen, das Schreiben, die Kunst als Refugium.* Hugo Dittberner: »Refugium. Erzählen in Niedersachsen«, in: »Frankfurter Rundschau«, 18.8.1984. – Dittberners Figuren erinnern mich übrigens an das Personal der Romane von Brigitte Kronauer, die, das nebenbei, zur selben Zeit, und auch in Göttingen, zu schreiben begann wie Hugo Dittberner.

S. 113: *Ich gehöre dieser Generation an.* In: »Literaturmagazin« Nr. 19, Reinbek 1987, S. 47.

S. 114: *Öffnung heißt.* Helmut Heißenbüttel: »Vorwort«, in: H. H. (Hg.): »Jahrbuch '77. Offene Literatur«, TEXT + KRITIK, München 1977, S. 6.

S. 115: *Schmutzflecken.* So Walter Höllerer in einem Seminar im Berliner Literarischen Colloquium über die Literatur Helmut Heißenbüttels im Jahre 1965.

S. 116: *Sie erscheint zu einem Zeitpunkt.* Hans Bender (Hg.): »In diesem Lande leben wir«, München 1978, S. 281.
*Der lyrische Dichter leistet nichts.* Emil Staiger: »Grundbegriffe der Poetik«, Zürich, Freiburg i.Br. 1946, S. 24. Achtung: Ironie!

S. 117: Zum *Lyrik-Boom* in den späten siebziger Jahren: Ein Meister des schnellen Gedichts war Erich Fried. Nachdem 1976 Wagenbach eine Sammlung mit drei älteren Gedichtbänden von Fried herausgebracht hatte, sprudelte Frieds lyrische Produktion an die Öffentlichkeit: 1977 in zwei Gedichtbänden: »So kam ich unter die Deutschen«

und »Die bunten Getüme. Siebzig Gedichte«, 1978 »100
Gedichte ohne Vaterland«, 1979 »Liebesgedichte« und
1981 wiederum in zwei Gedicht-Bänden: »Lebensschat-
ten« und »Zur Zeit und zur Unzeit« – der letzte Titel bezeichnet sehr schön die Impulse der Friedschen Gedicht-
produktion: Fried nahm alles auf, was die Zeit(ungen)
ihm vermittelte(n); die *Realität*, wie sie ihm zu Ohren
kam, wurde spontan in Gedichte verwandelt: Frieds Gedichte waren wie Notate, die sonst Tagebücher füllen.
Frieds Lyrik war eine in hohem Maße rhetorische, war
*Gelegenheits*lyrik – das erklärt auch, warum sie genau in
jener Zeit so überaus erfolgreich war: leicht zu lesen und
leicht nachzumachen. Vor allem deshalb explodierte damals die Publikation von Fried-Gedichten (die er vermutlich zwar immer so geschrieben hat, die aber nun, da sie
ins Klima paßten und eine Nachfrage nach ihnen bestand,
vermehrt veröffentlicht, weil auch verkauft wurden). Fried
hat damals vielen Kurzstreckenschriftstellern Mut gemacht, ähnlich *angelegentlich* zu schreiben, und war wohl
auch deshalb bis zu seinem Tode das Idol angehender
SchriftstellerInnen. Wie übrigens G. Benn dreißig Jahre
zuvor. – Über die »Versöhnung von Rhetorik und Poesie«
in den Gedichten Erich Frieds schrieb Alexander von
Bormann unter dem Titel »Ein Dichter, den Worte zu-
sammenfügen« in »Erich Fried«, TEXT + KRITIK, H. 91,
1986, S. 5-23. Ich denke freilich, daß Fried diese *Versöhnung* nur in den wenigsten Gedichten erreicht hat.
S. 123: *Was erwarte ich dennoch.* Günter Grass: »Die Rättin«,
Darmstadt, Neuwied 1986, S. 203.
S. 124: Grass *in seiner Rolle als Mahner.* Helmut Böttiger:
»Wenn Bücher brennen«, in: »Frankfurter Rundschau«,
10.5.1993. – Zu Anfang der achtziger Jahre grassierte die
Untergangsstimmung gerade auch mit Blick auf das
eigene Schreiben. Wolfgang Hildesheimer gab gar das
Schreiben auf und sagte mir in einem Gespräch: »Ich sehe
keine Zukunft mehr, für die ich schreibe.« Ähnlich sagte
Grass, wir seien aus der Literatur gefallen – so in seiner

Rede zum Feltrinelli-Preis: »Die Vernichtung der Menschheit hat begonnen«, Hautzenberg 1983; aber er sagte auch: »Dennoch. Ich bin Sisyphos.« Auch Friedrich Dürrenmatt meinte damals in gemeinsamen Gesprächen öfter, die Schriftsteller kämen der Zeit nicht mehr nach, aber auch nicht mehr voraus und bei. Und von Günter Kunert kennt man diesen Kulturpessimismus als prinzipielle Tönung seines gesamten späteren Werks.

Zur *unüberwindlich scheinenden Phalanx von Literatur ... mit dem Gütesiegel »Gruppe 47«* und zur *immer noch beherrschenden Rolle* von Autoren der »Gruppe 47«: Tatsächlich gehörten viele der wichtigsten Schriftsteller, die immer noch den Ton in den deutschen Feuilletons angeben, weil sie dort regelmäßig und ausführlich besprochen werden, einst zur »Gruppe 47«. Was durchaus zu erklären ist; denn auch die immer noch wichtigsten, und unter ihnen die mächtigsten und lautstärksten Kritiker stammen aus der »Gruppe 47«: Marcel Reich-Ranicki, Joachim Kaiser, Fritz J. Raddatz, Reinhard Baumgart, Walter Jens, Hans Mayer und, jedenfalls in den achtziger Jahren, Helmut Heißenbüttel und Walter Höllerer. Daß sie wesentlich das Urteil über die Literatur dieser Zeit präg(t)en, scheint mir unbestreitbar; denn der Kritiker entscheidet darüber, welche Literatur im Gespräch ist – und damit über Art und Niveau des Zeitalters in der Gegenwart. Am eindringlichsten hat sich Marcel Reich-Ranicki der – freilich schlechten – Reste der »Gruppe 47«-Praxis zur eigenen literarischen Markt- und Meinungsführerschaft bemächtigt: zuerst durch das von ihm initiierte Wett- und Schaulesen um den Ingeborg Bachmann-Preis (und inzwischen eine Reihe anderer Preisgelder) in Klagenfurt; diese Veranstaltung, an der Reich-Ranicki schon lange nicht mehr teilnimmt, hat nur die *negativen* Aspekte der »Gruppe 47«, ihre Pervertierung vom literarischen Café der frühen Jahre zum literarischen Markt in den letzten Jahren, übernommen, und zwar in noch perfektionierterer und zugleich primitiverer Form. Schließlich hat Reich-Ranicki das, was an literarischer Öffentlichkeit noch geblieben ist, ins Fernsehen gelockt mit seiner Clownerie des »Literarischen Quartetts«, die seit 1988 im ZDF von und mit Literatur handelt. Auf welche Weise, das mag die Mitschrift folgenden, zugegeben mit Bedacht ausgewählten Ausschnitts aus der Sendung vom 14.1.1993 belegen, in der es um W. G. Sebalds Buch »Die Ausgewanderten« ging: *»Hellmuth Karasek:* Das Buch ist von einer außerordentlichen Sprachkraft ... – *Marcel Reich-Ranicki:* Die ist überhaupt nicht vorhanden ... – *Karasek:* Das ist abstrus, also wirklich ... – *Reich-Ranicki:* Lassen Sie doch eine andere Ansicht gelten. Wir haben gehört, Sie halten Sebald für einen Meister deutscher Prosa. Die meisten Kritiken sind in Zeitungen mit Titeln erschienen wie ›Meisterwerk‹ Doppelpunkt ... – *Sigrid Löffler:* Dieses Buch wird zu Recht gelobt. – *Reich-Ranicki:* Ja, ich glaube es Ihnen, aber Sie erlauben, daß ich eine andere Ansicht äußere. – *Karasek:* Sie dürfen sich auch mal irren, ja. – *Reich-Ranicki:* Ja, aber ... – *Löffler* lacht – *Reich-Ranicki:* Wie? Warum? Natürlich! Nein, ich kann mich nicht irren! (...) *Barbara Sichtermann* (Gast dieses Abends, über die Abbildungen von Fotos, Karten, Fahrscheinen usw. in Sebalds Buch): Die Fotos haben mir überhaupt nicht gefallen. – *Reich-Ranicki:* Ja, das ist furchtbar. – *Sichtermann:* Die kleinen Hinweiszettelchen. – *Löffler:* Nein, nein, nein, nein. – *Karasek:* Überhaupt nicht, im Gegenteil! – *Reich-Ranicki:* Er hat nicht nur Fotos gebracht, sondern verschiedene Dokumente, Fahrscheine, Landkarten, alles Mögliche. – *Karasek:* Ein wunderbares literarisches Mittel! – *Reich-Ranicki:* Nein, das ist ein Mittel für einen Trivialroman. – *Karasek:* Aber ich bitte Sie! – *Löffler:* Ich kenne keinen Trivialroman, der Fahrscheine abbildet. – *Reich-Ranicki:* Oh ja! – *Karasek:* Nein, das ist eine literarische Collagetechnik, die ich bei Sebald ausgezeichnet finde. – *Reich-Ranicki:* Nein, nein, nein, nein! – (...) – *Karasek:* Kennen Sie ... Der Surrealismus hat so begonnen, mit authentischen Fahrscheinen. – *Reich-Ranicki:* Und sehr schnell ist das alles zu

Ende gewesen. – *Karasek:* Das sind aber große Kunstwerke. – *Reich-Ranicki:* Nein!«

Die Beliebtheit dieser Sendung bezeugt angeblich das Interesse des Publikums (600 000 bis 1 Million Zuseher) an der Literatur. Reich-Ranicki gab in einem Interview auf die Frage: »Ist der Vorwurf von Jens, zwischen dem ›Literarischen Quartett‹ und der Werbung für Jacobs Kaffee bestehe ›eigentlich kein Unterschied mehr‹, ganz falsch?« die Antwort: »Nein, keineswegs. Die Werbung für Jacobs Kaffee gilt als sehr gut und trägt zu dem Absatz dieses Produkts stark bei. So verbergen sich in Vorwürfen Komplimente, die ich dankbar akzeptiere.« Das Interview stand im »Spiegel« vom 24.5.1993 – auch das, natürlich, Werbung für das Produkt »Literarisches Quartett«, an dessen Erfolg auch »Spiegel«-Redakteur Hellmuth Karasek interessiert sein dürfte. Karasek übrigens, im Einklang mit dem ehemaligen ZDF-Redakteur (»Aspekte«) Alexander U. Martens, bezeichnete während einer Tagung Anfang Mai 1993 auf Hiddensee das Fernsehen (und darin auch die Kritik) als *die genuine zeitgemäße Fortsetzung der Literatur* (und ihrer Kritik). Eine solche Behauptung ist und spiegelt lediglich die unkritische Selbstbestätigung des betriebenen Gewerbes und betreibenden Gewerblers, im Falle Karaseks des eigenen Übergangs vom Literaturkritiker, der er doch einmal war, zum Literaturkritiker-Darsteller, der er nun ist, und zum Fernsehunterhalter, den er gekonnt abgibt – *spiegelt* also die eigene unreflektierte Existenz. Diese neue Bestimmung der Literatur *als* Fernsehen ist naiv oder zynisch, und nichts mehr. Sie bezeichnet den vorläufigen Tiefpunkt eines Raubbaus auch noch am geringsten Interesse der Öffentlichkeit an der Literatur durch die Veröffentlichung von nichts als Resten des Literatur*betriebs:* das »Literarische Quartett« als literarische *fast-food*-Bude in greller Aufmachung (für die stets R.-R. gut ist). Thomas Hettche schrieb dazu in der »Frankfurter Allgemeinen Zeitung« vom 23.10.1993: »Bezeichnend ist, daß gerade jene, die das Wort vom ›Dichter‹

und von der ›Weltliteratur‹ so gern im Mund führen, sich nach Kräften bemühen, jeden Text auf das Handhabbare zu reduzieren. Denn so wird beides zum Filmstoff: die Figur des Schriftstellers in der Anekdote vom Dichter und sein Text als *story*. Es macht die Popularität eines altväterlichen Literaturverständnisses aus, wie es sich im ›Literarischen Quartett‹ konserviert hat, daß es so dem Medium Fernsehen zuarbeitet. Insofern ist es kein Zufall, daß jenes Bonmot, das Marcel Reich-Ranicki selbst gerne hört, am Donnerstag im ›Literarischen Quartett‹ wieder zitiert wurde. Es besagt, er lese Bücher so, wie einer liebe, der alle Frauen der Welt haben wolle. – In der Tat sind diesem Typus von mechanischem Casanova alle Bücher eins, meint er doch, dank seiner Grundkenntnisse der Anatomie alles begriffen zu haben und daher immer zügig ans Ziel zu gelangen.«

Daß die Zuschauerzahlen – Reich-Ranicki spricht im genannten »Spiegel«-Interview stolz von sogar 1,6 Millionen Zuschauern »der letzten Sendung« (laut »Focus« waren es aber nur 660.000) – diese *fast-food*-Funktion des R.-R.-Spektakels eher bestätigen, scheint dem Unterhaltungsstar entweder nicht aufgegangen zu sein, oder aber, was zu ihm paßt, er akzeptiert sie: Literatur leichtgemacht. Dagegen steht immer noch die altmodische Formel: Literatur ist kein Medium, sondern ein Gegenüber, das Angebot an den Anderen. Ich und Du. Literatur ist immer *auch* Gespräch. – Das *Gespräch* ist wichtig, nicht das *Geschwätz*.

S. 125: *Doch selbst die bescheidene deutsche Nachkriegsliteratur.* Hans Magnus Enzensberger: »Meldungen vom lyrischen Betrieb«, in: »Frankfurter Allgemeine Zeitung«, 14.3.1989.

S. 125/126: *Die Bedeutung der Literatur der »Gruppe 47« / Marginalisierung, Partialisierung, Werteänderung.* Hermann Kinder: »Sätze zum Satz vom Ende der Literatur«, in: »Vom gegenwärtigen Zustand der deutschen Literatur«, TEXT + KRITIK, H. 113, 1992, S. 6, 7.

S. 127: *Neue Unübersichtlichkeit.* Vgl. den Titelessay von

Jürgen Habermas: »Die Neue Unübersichtlichkeit«, Frankfurt/M. 1985.

*Pürée.* Hans Magnus Enzensberger: »Das Ende der Konsequenz«, in: »Politische Brosamen«, Frankfurt/M. 1982, S. 7-30. – Übrigens hat Hans Magnus Enzensberger gerade in den achtziger Jahren viele seiner wichtigsten politischen Essays geschrieben – streitbar und komplex.

*gegen Ende der zwanziger Jahre.* Wie sehr diese Zeit auch in Gefühl und Bewußtsein den achtziger Jahren ähnelte, belegt die Charakterisierung der späten zwanziger Jahre in Mitteleuropa durch Julien Benda in »La trahison des clercs«, Paris 1927, hier nach der Übersetzung von Arthur Merin, Frankfurt/M. 1988 (= Fischer Taschenbuch 6637): »Der Verrat der Intellektuellen«: »Die Verehrung des Spezifischen unter Mißachtung des Universellen bedeutet eine Wertumkehrung, die sich über sämtliche Bereiche des modernen Geisteslebens erstreckt und selbst auf einer Ebene zum Ausdruck kommt, die wesentlich höherer Ordnung ist als die politische. Bekanntlich hat sich fast die Gesamtheit der Denker (oder derer, die sich als solche ausgeben) seit nunmehr zwanzig Jahren eine Metaphysik zu eigen gemacht, die als höchste Modalität des menschlichen Bewußtseins jenen Zustand – die *durée*, die ›Dauer‹ – auserkoren hat, in dem wir es fertig bringen, uns in höchster Individualität und Exklusivität zu erfassen und uns von jenen Denkmodalitäten (Begriff, Vernunft, Sprachgewohnheiten) freizumachen, mittels derer wir Selbsterkenntnis nur hinsichtlich unserer Gemeinsamkeiten mit anderen gewinnen können.« (S. 149f.) Wie hieß noch Handkes Gedicht von 1986? »Gedicht an die Dauer«.

*Reprisen.* Sind nicht auch fast alle Themen schon irgendwie und irgendwo verhandelt? Und alle Tonlagen, in denen sie denkbar sind, angestimmt? Die Zukunft scheint ausgeräumt, vergeben, verteilt – vernutzt. Das entspricht dem Zustand der natürlichen Ressourcen, der Energien, des Geldes – von eigentlich allem, was *brauchbar, benutzbar* und *profitabel* ist.

*Der technische Fortschritt.* Arnold Gehlen, zitiert nach Karl Markus Michel: »Die sprachlose Intelligenz II«, in: »Kursbuch«, 1966, Nr. 4, S. 202.

S. 128: *Nicht, daß der Konkurs noch bevorstände.* Claudia Gehrke / Peter Poertner: »Unvorgreifliche Bemerkungen der Herausgeber«, in: »Konkursbuch«, 1978, Nr. 1, S. 7.

S. 129/130: *Die Befreiung kann also nicht über die Vernunft laufen / mit dem Weltganzen verbunden.* Gerd Bergfleth: »Kritik der Emanzipation«, in: »Konkursbuch«, 1978, Nr. 1, S. 29, 35.

S. 130: *Anarch.* Vgl. Ernst Jünger: »Eumeswil«, Stuttgart 1977, S. 96: »Als Anarch bin ich entschlossen, mich auf nichts einzulassen, nichts letzthin ernst zu nehmen (...).«

S. 132: *Postmodernes Schreiben.* Rüdiger Görner: »Über postmodernes Schreiben«, in: »Die Neue Gesellschaft / Frankfurter Hefte«, 1991, H. 6, S. 530, 535.

S. 133/134: *Die postmoderne Literatur.* Hanns-Josef Ortheil: »Das Lesen – ein Spiel«, in: »Die Zeit«, 17.4.1987. – Diese *Spiele höherer Ordnung*, die *dem Leser die entscheidende Arbeit zumuten*, mögen zwar zum Ambiente der neuen »Erlebnisgesellschaft« gehören (wie auch die inzwischen wieder grassierenden Autoren-Lesungen, die eher dazu angetan sind, den Zuhörern das Selber-Lesen abzunehmen), ihre Propagierung ist jedoch nur Produktion von heißer Luft (und auf Ortheils ›Theorie‹ paßt Albert Camus' Sentenz, die ich Peter Schneider verdanke: Die ästhetische Programmatik eines Autors habe immer auch etwas vom Versuch, die »eigenen künstlerischen Grenzen in den Rang von literarischen Gesetzen zu erheben«). Denn ein solches imaginiertes Gespräch zwischen Autor und Leser kann bei solcher Maßgabe nicht zustande kommen, die schöne Theorie ist mal wieder nur eine, natürlich theoretische, *Simulation.* Denn Ortheils eingebildeter Leser darf nur ein *allwissender* Leser sein, während er selbst kein wissender Autor (oder falls ein, vielleicht germanistisch ausgebildeter, wissender, so doch kein *gestaltender*) mehr sein muß – als Autor kann er dem Leser vor die Augen kippen, was ihm gerade so eingefallen ist aus dem unerschöpflichen Fundus der Literatur: *Mach damit, was Du willst, lieber Leser!* Die Konsequenz: Da es keinen *allwissenden Leser* gibt, der jedes Zitat, das dem Autor gerade gefallen hat, zu erkennen und es schon gar nicht in jenen Gedankenzusammenhang zu bringen vermag, der dem Autor, wenn überhaupt, durch den Kopf gegangen ist, als er es hinschrieb, muß der postmoderne Leser gar nicht mehr so genau hinschauen, wenn er liest, denn auch der Autor hat im Zweifelsfall nicht so genau hingeschaut, als er schrieb. Das läßt sich im übrigen häufig leicht nachweisen: Meist stimmen zwar die *Details* in solcher Literatur, aber die *Kombination* stimmt nicht, vor allem die Konstruktion ist nicht schlüssig. Während die *moderne* Literatur zum genauen Lesen erzieht, weil sie gebaut, erarbeitet ist und den Leser leitet, erzieht die »*postmoderne*« Literatur konsequenterweise zum *Drüberhinlesen*, sie *entwöhnt vom Lesen*. Auch dies ein Beitrag zur Umweltverschmutzung beziehungsweise -verödung nach innen – wie jener, den die Medien uns antun durch Überinformation.

S. 134: Zum *Lesen als Spiel*. Könnte man sich denn Bücher vorstellen, die veränderbar sind? Die von Lesern weitergeschrieben werden? Franz Mon hat das einmal versucht mit seinem »Lesebuch« von 1967, dessen elliptische Notate vom Leser vielfältig zu ergänzen wären. Wieviel einfacher zu handhaben wären demgegenüber Texte, die vom Autor im, ja *für* den Computer geschrieben werden und die jeder ›Leser‹, der an diesem Literatur-Spiel teilnehmen möchte, gegen ein Honorar auf seinen Bildschirm holen kann: um ihre Inventionen zu ergänzen, zu verändern, auf eigene Weise fortzuführen usw., um in den Intentionen des ›Autors‹ oder gegen sie an zu lesen = zu schreiben. Immer müßte sich dieser ›Leser‹ *zum Text* verhalten: praktisch lesend. Und weiter: Der ›Autor‹ sitzt am anderen Ende des word-processors und greift ebenfalls ein, überwacht das Lese-Spiel des ›Lesers‹, antwortet ihm. Man kann dem ›Autor‹, gegen eine weitere geringe Gebühr selbstverständlich, beim ›Schreiben‹ zusehen, beim Spielen, Entwerfen, Eingreifen, Antworten … Literatur als Schach! Ernst Jünger hat das Anfang der sechziger Jahre einmal mit seinem Aphorismen-Spiel »Mantrana« begonnen, aber mangels Spieler-Schar abgebrochen bzw. gar nicht erst ernsthaft eröffnet. Darin verbarg sich wiederum ein Versuch, Hermann Hesses Glasperlenspiel (im gleichnamigen Buch) ins Literarische, Denkerische zu übersetzen und anzuwenden, zu spielen.

S. 135: *Umberto Ecos* Schreibmasche wird von Sigrid Löffler anhand seines Romans »Die Insel des vorigen Tages« (1995) exakt so beschrieben, wie die scheinbar postmoderne Schreibmethode nach Görner funktioniert: »als *patchwork* diverser literarischer Genres des Barock, vom Bildungsroman bis zum höfischen Briefsteller, vom Fürstenspiegel bis zum gelehrten Traktat – als literarisches Kuriositätenkabinett, als manieristische Klitterung abstrusester barocker Vorlagen«, in: »Die Woche«, 10.3.1995.

Ein sehr ambitionierter Produzent solch kombinatorischer Mixturen ist übrigens, auf zuweilen amüsante Weise, Ulrich Holbein, der einmal gesagt hat: »Ich pflegte, mischte und zerfaserte alle Gattungen und Stilformen.« Das Literaturmüsli, das er auf diese Weise jahrelang zusammengemischt hat, begann im Frühjahr 1993 verteilt (»zerfasert«) auf verschiedene Verlage zu erscheinen. Bei Suhrkamp kam »Die ozeanische Sekunde« und bei Haffmans »Warum zeugst du mich nicht?« heraus. Beide Bücher entstammen *einem* Manuskript, das aber so dick war, daß sich kein Verlag dafür fand; also machte Holbein aus einem Buch zwei – auch dies ein Beispiel für das *anything goes* postmodernen Schreibens und Publizierens. Bei Claassen erschien von Ulrich Holbein Anfang 1993 noch »Die vollbesetzte Bildungslücke« – dieser Titel gibt ein nettes Muster von Holbeinschem ›Witz‹. Wer glaubt, das *postmoderne Schreiben* sei passé, muß nur Holbein lesen, um darüber belehrt zu werden, welch im antiken Sinne ›idiotische‹ Texte es noch immer gebiert.

S. 136/137: *Der Fliegende Robert.* Hans Magnus Enzensberger: »Der Fliegende Robert«, Frankfurt/M. 1989, S. 337.

S. 138: *Psychologisch läßt sich der Zyniker.* Peter Sloterdijk: »Kritik der zynischen Vernunft«, Bd. 1, Frankfurt/M. 1983, S. 37.

S. 141: Strauß' Büchlein »Beginnlosigkeit« erschien 1992. Er verkündet darin die – gegen die derzeit noch ›gültige‹ *big-bang*-Theorie von der Entstehung des Universums gerichtete – *steady-state*-Theorie von Fred Hoyle als umwerfend neue astronomische Erkenntnis. Sie paßt ihm gut ins anti-aufklärerische Konzept: Denn wo und was ist Fortschritt, was sinnvolle Aufklärung, wenn es keine sich entwickelnde Welt gibt? Abgesehen davon, daß es auch in einem *steady-state*-Universum eine evolutionäre Entwicklung der Natur geben kann, appliziert Strauß auf abenteuerliche Weise naturwissenschaftliche Thesen auf seine geschichts-philosophischen und metaphysischen Behauptungen und spiegelt dem naturwissenschaftlich unbedarften Leser vor, sie ließen sich aus jenen ableiten. Die Scharlatanerie solcher Verfahrensweise dekuvriert sehr klar Gero von Randow in »Postmodernes Wortgeklingel. Wie Botho Strauß seiner ›Beginnlosigkeit‹ den rechten wissenschaftlichen Anstrich verpaßte«, in: »Die Zeit«, 29.12.1994, S. 25. – Die beiden Zitate aus »Beginnlosigkeit«, a.a.O., S. 67 und 72.

S. 141: Botho Strauß: »Anschwellender Bocksgesang«, in: »Der Spiegel«, 1993, Nr. 6, S. 202-207. Dazu dieser notwendige Exkurs:

Es ist schon einige Jahre her, da hat Botho Strauß sein Leiden am und im Gegenwärtigen so beklagt: »Die Leidenschaft, das Leben selbst braucht Rückgriffe (mehr noch als Antizipationen) und sammelt Kräfte aus Reichen, die vergangen sind, aus geschichtlichem Gedächtnis. Doch woher nehmen …?« (vorangestellt dem von Michael Radix herausgegebenen Band: »Strauß lesen«, München, Wien 1987, S. 7). Nachdem ihm die Entnahme eigenen Heils aus der kosmischen »Beginnlosigkeit« offensichtlich mißlungen ist, hat er seinen fundamentalen Lebensekel im

Jahre 1993, zwar auch nicht klarer als in jener pseudophilosophischen Beschwörung einer obsoleten kosmologischen Theorie, vor dem Massenpublikum des deutschen Nachrichtenmagazins aus Hamburg ausgebreitet: »Anschwellender Bocksgesang« nannte Botho Strauß diese Expektorationen seiner verletzten Seele, die ihre abstrusen Folgerungen aus immerhin teilweise zutreffenden Beschreibungen unseres öffentlichen und medial veröffentlichten Lebens ziehen.

Freilich stellt sich Strauß dabei auf den zerebral ziemlich ausgedünnten Kopf statt auf die antäisch kraftvollen Beine und überzieht die Leser erst einmal mit seinen mystisch raunenden und metaphysisch kontaminierten Tiraden, bevor er sagt, worunter er leidet: am Fernsehen und an der gleichmacherischen Wirkung der Werbung, an der blanken und schnöden Ökonomie, der die Gesellschaft den Vorrang einräumt, und an der Glaubenslosigkeit dieser Zeit. Aber natürlich leidet Strauß, wie immer schon, vor allem auch an der »dumpfen Masse« Mensch, die »heute«, weil ja die 68er Bewegung diese Gesellschaft durchzogen habe mit ihren aufklärerischen Impulsen, »die dumpfe aufgeklärte Masse« sei. Darum geht es Strauß offenbar in erster Linie: um die Attacke auf alles, was irgend *links* ist und war, und um die Verteidigung dessen, was er für *rechts* und rechtens hält. Doch was ist *links* bei Strauß? Und was *rechts?*

Das *Linke* ist für ihn das *a priori* Falsche, weil nämlich schon immer Ausgegrenzte: »Seltsam, wie man sich ›links‹ nennen kann, da links von alters her als Synonym für das Fehlgehende gilt.« Links, so Strauß, sei ein »Zeichen des Verhexten und Verkehrten« – aber er fragt in seinem ahistorischen Hochmut nicht danach, woher das denn kommt, daß alles, was noch nie in die Normen verhärteter, also konservativer Lebensformen und -vorstellungen gepaßt hat, links gestellt, also ausgegrenzt wurde und wird. »Voller Aufklärungshochmut«, so Strauß, habe die Linke ihre »Politik auf den Beweis der Machtlosigkeit von magischen Ordnungsvorstellungen begründet« (sic!). Weil also die Linke nicht einem mystischen Denken verfallen, sondern den Prämissen möglichst vernünftigen Handelns, entsprechend der kantischen Ethik, gefolgt sei, habe sie den Menschen verraten.

Daher – und so rückt Strauß sein »Rechtes« heideggernd in den Blick – sei nun »der Rechte – in der Richte: ein Außenseiter«: Der Rechte nämlich lehne sich auf »gegen die Totalherrschaft der Gegenwart, die dem Individuum jede *Anwesenheit* von unaufgeklärter Vergangenheit, von geschichtlichem Gewordensein, von mythischer Zeit rauben und ausmerzen will«. Denn: »Rechts zu sein, nicht aus billiger Überzeugung, aus gemeinen Absichten, sondern von ganzem Wesen, das ist, die Übermacht einer Erinnerung zu erleben, die den *Menschen* ergreift, weniger den Staatsbürger, die ihn vereinsamt und erschüttert inmitten der modernen, aufgeklärten Verhältnisse, in denen er sein gewöhnliches Leben führt.«

Wo die Linke eine Utopie hatte – eine Vorstellung von einer besseren, jedenfalls zu verbessernden Welt –, malt sich nach Strauß die rechte Phantasie »kein künftiges Weltreich aus«, sondern »sucht den Wiederanschluß an die lange Zeit, die unbewegte, ist ihrem Wesen nach Tiefenerinnerung und insofern eine religiöse oder protopolitische Initiation«. Das zielt auf einen regressiven Archaismus. Um dessen Sinn auch fürs Heute zu begründen, verweist Strauß, offensichtlich beispielgebend, auf eine Zeit, da »Rassismus und Fremdenfeindlichkeit«, diese *gefallenen* Kultleidenschaften«, noch »einen sakralen, ordnungsstiftenden Sinn hatten«: »Der Fremde, der Vorüberziehende wird ergriffen und gesteinigt, wenn die Stadt in Aufruhr ist« – heißt es da in jenem kalten Präsens, das auch ein anderer Lehrer der Re-Aktion dieses Jahrhunderts, Ernst Jünger, so gut beherrscht. Und zu welchem Ziel wird der Fremde gesteinigt? »Er sammelt den einmütigen Haß aller in sich auf, um die Gemeinschaft davon zu befreien.« Die Tötung des Fremden also zur Stabilisierung der eigenen

Gesellschaft, die bei Strauß, nostalgisch getönt, wieder einmal »Gemeinschaft« heißt. Da gerät die gepflegte Aussteigerprosa des Botho Strauß zur antizivilisatorischen Heilslehre für eine aus den »magischen Ordnungsvorstellungen« geratene Welt.

Der Zeitgeist, gegen den Botho Strauß angeblich anschreibt, ist der alte Ungeist, den Strauß, indem er auf ihn zurückgreift, installiert. Denn nur ihm kann entspringen, was Strauß über die Nachkriegs-Intellektuellen sagt: Sie, so Strauß, die »ihren Ursprung (in Hitler)« haben, seien »freundlich zum Fremden, nicht um des Fremden willen, sondern weil sie grimmig sind gegen das Unsere und alles begrüßen, was es zerstört ...« Was muß in einem Kopf vor sich gehen, dem so etwas zu denken, und gar zu formulieren einfällt? Solch infame Inversion paßt in ein realitätsvergessenes und mythenversessenes Denksystem, das jenen Mystifikationen immer ähnlicher wird, denen schon einmal der große Kehraus der Intellektuellen, Linken und auch sonst Andersartigen blutig folgte.

Nur die Rechten mit ihren »magischen Ordnungsvorstellungen« à la Alfred Rosenberg und Carl Schmitt verblieben der herbeigesehnten Volksgemeinschaft. Doch dazu, da mag man dem Bedauern des Mystagogen Botho Strauß gern folgen, kann es ja wohl nicht mehr kommen. Denn, so ein allerletztes Mal Botho Strauß: »Weder der einzelne noch die Menge unterhalten die geringste Verbindung zu Prinzipien der Entbehrung und des Dienstes oder zu anderen sogenannten preußischen Tugenden, die sich ein Hitler noch nutzbar machte. Eher würde diese Republik mit einem Wimmern enden (...) als mit einem großen Knall, der Resurrektion des Führers.« Das ist verächtlich gemeint.

S. 141: *Refrain einer tieferen Aufklärung.* In der Festschrift »Magie der Heiterkeit. Ernst Jünger zum Hundertsten«, hg. von Günter Figal und Heimo Schwilk, Stuttgart 1995, S. 321f.

S. 143/144: *Ich erzähle hier von der Müdigkeit.* Peter Handke:

»Versuch über die Müdigkeit«, Frankfurt/M. 1989, S. 54. –
Im selben Buch, S. 46, heißt es: »Eine Müdigkeit als ein
Zugänglichwerden, ja als die Erfüllung des Berührtwer-
dens und selber Berührenkönnens, erlebte ich erst viel später. Das geschah so selten, wie im Leben nur die großen
Ereignisse, und ist auch schon lange nicht mehr eingetreten, so als sei es allein in einer bestimmten Epoche des
menschlichen Daseins möglich und wiederhole sich danach nur noch in Ausnahmezuständen, einem Krieg, einer
Naturkatastrophe oder einer anderen Notzeit.« Auch darin zeigt sich eine Beständigkeit des mystischen Denkens
Handkes – hier wie in seinen Erinnerungen an Slowenien
von 1991, »Abschied des Träumers vom Neunten Land«,
und in »Mein Jahr in der Niemandsbucht«, Frankfurt/M.
1995, erscheint der Krieg als eine Zeit der Katharsis, nach
der die Luft gereinigt ist und die Menschen zu neuer, bes-
serer Schaffenskraft kommen. Vgl. zu diesem Thema den
Aufsatz von Gustav Seibt: »Der sanfte Unmensch. Peter
Handke und der Krieg« in der »Frankfurter Allgemeinen
Zeitung«, 29.12.1994, S. 23.

S. 144/145: *Aber habe ich mir dazu nicht.* Peter Handke:
»Mein Jahr in der Niemandsbucht«, a.a.O., S. 73.

S. 145/146: *Das, was wir erleben / das Wiedererkennen von
Details.* Brigitte Kronauer: »Der unvermeidliche Gang der
Dinge«, Göttingen 1974, Klappentext.

S. 146: *Standphotos.* Ebd.

S. 147: *Geschichtenwolf.* Ebd.

S. 151: Vor allem solche Bücher von solchen *Nicht-Literaten*
sind Themen in den 50 Talk-Shows, die wöchentlich über
die verschiedenen Sender flimmern und den Zuschauern
nicht nur das Lesen, sondern auch noch das Gespräch ab-
nehmen und abgewöhnen. So reproduziert und steigert
das Fernsehen u.a. die Prominenz seines Personals – ein
selbstreferentielles System der Bedeutungsblähung. In den
Talk-Shows hält das Fernsehen Hof und zeigt etwas von
seiner Macht.

Zur *existentiellen Dringlichkeit.* Der zwanzigjährige Franz

Kafka in seinem Brief an Oskar Pollak vom 9.11.1903: »Übrigens ist schon eine Zeit lang nichts geschrieben worden. Es geht mir damit so: Gott will nicht, daß ich schreibe, ich aber, ich muß.«

Zu den *Formen*. Ein Schriftsteller, der sichtbar *Freude am Denken* hatte, war Friedrich Dürrenmatt. Seine diskursiven Prosaformen – »Zusammenhänge. Essay über Israel« und der »Mitmacher Komplex« bis zu den »Stoffen«: »Turmbau« und »Labyrinth«, die er als seine wichtigsten Prosaarbeiten bezeichnet hat – könnten übrigens beispielgebend sein für ein neues Prosa-Schreiben, das aus dem literarischen Formen-Fundus zehrt, ihn aber durch neue und neu funktionierende, erhellende Kombinationen bereichert. Auch Bruce Chatwins Prosa (»In Patagonia« und »The Songlines«) gehört zu diesen Formen des Schreibens, die ihre Hintergründe konsequent entwickeln und *entfalten*.

*literarische Kritik:* Hierzu weiterführend die TEXT + KRITIK-Hefte Nr. 100 »Über Literaturkritik«, 1988, und Nr. 113 »Vom gegenwärtigen Zustand der deutschen Literatur«, 1992.

Von einer ganz anderen *Bewußtheit* hinsichtlich der Literatur sprach – am 1. Mai 1993 während eines vom Bertelsmann-Konzern organisierten Treffens ehemals west- und ehemals ostdeutscher Kritiker, Schriftsteller, Intellektueller – Frank Wössner, der Chef des gesamten buchproduzierenden Bereichs im Bertelsmann-Konzern. Er fühlte sich bemüßigt, den Versammelten am Ende des Treffens einige hoffnungsvolle Mitteilungen zu machen. Darunter diese: daß man festgestellt habe, »nur das Lesen fördert das kategorische Denken« (er meinte wohl: das *kategoriale* Denken), und weil das so sei, könne das Buch nicht aussterben. Wenn man bedenkt, daß Bertelsmann mit seinen Beteiligungen an privaten Fernsehprogrammen inzwischen, und zunehmend, sehr viel Geld verdient, und zwar mit Programmen, die dazu angetan sind, das Denken aus den Köpfen der Erwachsenen zu vertreiben und den

Köpfen der Kinder vorzuenthalten, kann eine solche Äußerung nur als Dummheit – und den Eingeladenen gegenüber als Unverschämtheit – bezeichnet werden. Ich glaube vielmehr, die Bertelsmann-Logik läuft, bewußt eher als unbewußt, umgekehrt: Je mehr man den Kindern das kategoriale Denken, und das Denken in selbstgewählten Vorstellungen, das Phantasieren, verwehrt, um so eher gehen sie in die Fernseh-Fallen. – Eine andere Äußerung Wössners bezeugt eine ähnliche Naivität, Dummheit oder, horribile dictu, Verarschung. Wössner berichtete von den enormen Möglichkeiten, die die neuen Glasfiberkabel den Medien eröffnen: 500 Fernseh-Programme seien bald kein besonderes Ereignis mehr. Außerdem lieferten CD-ROM enorme Speichermöglichkeiten – so daß in absehbarer Zeit damit zu rechnen sei, daß die gesamte Ratgeberliteratur, Reiseführer, technische Literatur, lexikalische Literatur usw. nur noch auf CD-ROM produziert werde. Und dann, so Bertelsmanns Bücher-Verantwortlicher Wössner, gebe es in den Buchhandlungen – wie schön – nur noch LITERATUR: *reine* Literatur, Romane, Gedichte, Essays usw. Wössner übersah bei seinem Schwärmen für diese *reine literarische Zukunft* nur eines: daß es dann wahrscheinlich keine Buchhandlungen mehr gibt, weil die dann nicht einmal mehr jene Buchproduktion verkaufen können, von der sie heute noch (über)leben: Ratgeber, Reiseführer, technische Literatur, lexikalische Literatur usw.

Nachbemerkung

S. 154: Der *Pinscher* ist seit 1965 eine liebevolle Bezeichnung von konservativen Politikern für deutsche Schriftsteller, die ihnen kritisch quer kamen. Damals sagte der Bundeskanzler Ludwig Erhard, nachdem Rolf Hochhuth im »Spiegel« sich kritisch über die soziale und wirtschaftliche Lage der BRD geäußert hatte: »Ich habe keine Lust, mich mit Herrn Hochhuth über Wirtschafts- und Sozialpolitik zu unterhalten. (...) Nein, so haben wir nicht gewettet. Da hört der Dichter auf, da fängt der ganz kleine Pinscher an.« (In: »Die Zeit«, 30.7.1965) Da muß der Herr Professor Erhard freilich eher an einen *Spitz* gedacht haben, der so gern querläuft und kläfft. Denn der *Pinscher* ist laut Meyers Enzyklopädischem Lexikon »ein aufmerksamer und kluger Haus- und Begleithund, ein vorzüglicher Ratten- und Mäusefänger«, und als solcher hat sich *der deutsche Schriftsteller* durchaus bestens bewährt an den Höfen unserer Gesellschaft. Er sagt zu vielem seine stets geistreiche Meinung. Er begleitet den aufgeklärten Monarchen, der geistreiche Gespräche wünscht, bei seinen Reisen, und er dient immer häufiger dem Medium der Hochfinanz und der deutschen Wirtschaft als wissend herabblickender Kommentator – so gibt er huldvoll-witzige *Handreichungen* zur überflüssigen Existenz von Politikern (»hochbezahlte Form der Arbeitslosigkeit«) oder läßt seinen Geist herab aufs lesende Obervolk in einer »kleinen Pfingstpredigt«, in der er für die Abschaffung jener Veranstaltungen plädiert, in der seine kleineren Kollegen auch ein paar Mark verdienen. Vgl. dazu die »Frankfurter Allgemeine Zeitung« vom 5.9.1992 (»Erbarmen mit den Politikern«) und vom 29.5.1993 (»Wanderzirkus, Veranstaltungstaumel«), jeweils die Aufmacher von »Bilder und Zeiten«. – Die meisten Schriftsteller sind aber nicht solche edlen *Pinscher*, sondern Tölen, die sich um die Knochen schlagen, die von der Herren Tische fallen. – Die Medien sind die neuen Höfe, sind die Machtzentren. Die Schriftsteller (und die freiberuflichen Intellektuellen, Publizisten usw.) stehen diesen Höfen zur Disposition: Sie werden immer nur gerufen, wenn sie *gebraucht* werden. Die meisten kommen dann auch.

Das jedenfalls sollten die Intellektuellen bedenken. Sie selbst sind wirklich ohne Macht, ohnmächtig. Zum Beispiel Günter Grass heute, im Gegensatz zu den sechziger und siebziger Jahren – damit muß er, müssen wir leben.

Aber wir sollten uns nicht falsche Illusionen machen – auch und gerade dann nicht, wenn wir für ein paar Mark grad mal jene Sau sein dürfen, die zum Vergnügen des Publikums und zur Profitmaximierung der Medienmacher über den Markt gejagt wird, also wenn wir, weils gewünscht wird, mal zu Worte gelassen werden.

S. 155/156: Zur Frage der *falschen Attacken* und der *richtigen Adressaten.* Hellmuth Karasek hat sich vor einiger Zeit öffentlich dafür entschuldigt, daß er (und andere Kritiker, die er aufforderte, es ihm nachzutun) vor einigen Jahren Reiner Kunze wegen seiner Nähe zur CSU und zu Franz Josef Strauß und Alexander Solschenizyn wegen seiner autoritären Haltung und seiner politisch reaktionären Position angegriffen habe. Heute wisse er, wie gering man (und er) deren Widerstand gegen verbrecherische Regime gewürdigt habe. Dieser merkwürdige Widerruf erscheint mir als eine besondere Blüte in unserer Wende-Zeit. Darf man Reiner Kunze nicht politisch kritisieren? Und warum soll heute falsch sein, was damals richtig war: nämlich die Kritik am autoritären Charakter mancher politischer Einlassungen Solschenizyns, zum Beispiel gegenüber den Spaniern, die gerade die Franco-Diktatur in ein demokratisches System transformiert hatten und denen er damals die Demokratie als *ungesund* auszureden versucht hat? Ich halte solches nach wie vor für kritisierenswert. Aber mindert denn diese Kritik die große Bewunderung für die klare Widerstandshaltung Kunzes oder Solschenizyns nur um einen Deut? Folgt Hellmuth Karasek da nicht allzu eilfertig einer neuen Zeitgeistströmung, deren naheliegende Tendenz man mit *negativer Totalisierung der Vergangenheit* umschreiben könnte? Jedenfalls übertreibt er seine Bußfertigkeit gegenüber seiner anscheinend *falschen* Vergangenheit erheblich – was freilich seine damalige Haltung noch nachträglich fragwürdig macht. Denn womit hat er sie damals begründet? Auch nur mit dem *damals* gängigen Zeitgeist?

# Register

HUGO DITTBERNER

# Wolken und Vögel und Menschentränen

*Roman*

Dorfgeschichten, so denkt man, ereignen sich gewöhnlich außerhalb der Gravitätszentren des gesellschaftlichen und politischen Lebens.

Nicht so in Hugo Dittberners Roman: Gewalt bricht ein in das alltägliche Leben des Dorfes; es kommt zu Übergriffen rechtsradikaler Jugendlicher. Ein junger Mann wird schwer mißhandelt. Und gerade so, als stünde dieses Dorf stellvertretend für das ganze Land, in dem auch niemand so recht weiß, wie der Gewalt zu begegnen ist, fällt das sonst so ordentliche Gemeinwesen in Erstarrung.

Unfähig, Ratlosigkeit und Angst zu überwinden, delegiert das Dorf in stillschweigender Übereinkunft das Problem an die junge, attraktive und durchaus karrierebewußte Pastorin. Auch sie ist eine Fremde im Dorf, die nun gleichsam als moralische Instanz in Anspruch genommen werden soll. Ihr Scheitern, ihre Schuld und auch ihr Widerstehen bilden das Zentrum des Romans.

Es ist ein Roman über die Gewalt, doch sicher nicht mit dem Ziel der »schnellen Erkenntnis und zum eiligen Meinungsbesitz«.

»Im Grunde hat Hugo Dittberner in seinen Büchern unserer Gesellschaft schon immer ihre Mentalitätsgeschichte geschrieben.«

*Heinz Ludwig Arnold*

**Wallstein Verlag Göttingen**

# Das Land, das Ausland heißt

»Die jetzigen Deutschen denken
in ihrer Mehrheit, der schamlose
Satz ›Ich habe nichts gegen
Türken‹ sei das Nonplusultra der
Weltoffenheit und Toleranz.«
(Klaus Theweleit)

Gegen den Mangel an Selbst-
wahrnehmung: acht Beiträge,
eine Auswahl aus Theweleits
neueren Vorträgen, Essays und
Interviews nicht nur, aber auch
über Deutschland.

dtv 30449

**Klaus Theweleit:
Das Land,
das Ausland heißt**

Essays, Reden, Interviews
zu Politik und Kunst

Auschwitz
keller

dtv

# Gesellschaft
# Politik
# Wirtschaft

Der Deutsche
an sich
Einem Phantom
auf der Spur

dtv

Zeitbombe Mensch
Überbevölkerung und
Überlebenschance

dtv

Jewgenia Albaz:
**Das Geheim-
imperium KGB**
Totengräber der
Sowjetunion
dtv 30326

Timothy Garton Ash:
**Ein Jahrhundert
wird abgewählt**
Aus den Zentren
Mitteleuropas
1980-1990
dtv 30328

Fritjof Capra:
**Wendezeit**
Bausteine für ein
neues Weltbild
dtv 30029

**Das neue Denken**
Ein ganzheitliches
Weltbild im Span-
nungsfeld zwischen
Naturwissenschaft
und Mystik,
Begegnungen und
Reflexionen
dtv 30301

Graf Christian von
Krockow:
**Politik und
menschliche Natur**
Dämme gegen die
Selbstzerstörung
dtv 11151

**Heimat**
Erfahrungen mit
einem deutschen
Thema
dtv 30321

Dagobert Lindlau:
**Der Mob**
Recherchen zum
organisierten
Verbrechen
dtv 30070

John R. MacArthur:
**Die Schlacht der
Lügen**
Wie die USA den
Golfkrieg verkauften
dtv 30352

Gérard Mermet:
**Die Europäer**
Länder, Leute,
Leidenschaften
dtv 30340

**Der Deutsche an
sich**
Einem Phantom auf
der Spur
dtv 30406

Hans Jürgen Schultz:
**Trennung**
Eine Grunderfah-
rung des mensch-
lichen Lebens
dtv 30001

Dorothee Sölle:
**Gott im Müll**
Eine andere
Entdeckung
Lateinamerikas
dtv 30040

Roger Willemsen:
**Kopf oder Adler**
Ermittlungen gegen
Deutschland
dtv 30405

# Über Literatur

Albin Lesky:
**Geschichte der griechischen Literatur**
dtv 4595

Michael v. Albrecht:
**Die Geschichte der römischen Literatur**
2 Bände · dtv 4618

Barbara Becker-Cantarino:
**Der lange Weg zur Mündigkeit**
Frauen und Literatur
dtv 4548

Joachim Bumke:
**Höfische Kultur**
dtv 4442

Siegmar Döpp:
**Werke Ovids**
dtv 4587

Umberto Eco:
**Lector in fabula**
Die Mitarbeit der Interpretation in erzählenden Texten
dtv 4531

K.R. Eissler:
**Goethe**
2 Bände · dtv 4457

**Die englische Literatur**
Herausgegeben von Bernhard Fabian
**Epochen – Formen – Autoren**
dtv 4494 / 4495

Dieter Kartschoke:
**Geschichte der deutschen Literatur im frühen Mittelalter**
dtv 4551

Joachim Bumke:
**Geschichte der deutschen Literatur im hohen Mittelalter**
dtv 4552

Thomas Cramer:
**Geschichte der deutschen Literatur im späten Mittelalter**
dtv 4553

Georg Lukács:
**Theorie des Romans**
dtv 4624

Peter von Matt:
**Liebesverrat**
Die Treulosen in der Literatur
dtv 4566

Martin Meyer:
**Ernst Jünger**
dtv 4613

Mario Praz:
**Liebe, Tod und Teufel**
Die schwarze Romantik
dtv 4375

Theodore Ziolkowski:
**Das Amt der Poeten**
Die deutsche Romantik und ihre Institutionen
dtv 4631